개념 × 유형은
다양한 유형 학습을 통해
개념을 완성시키는
솔루션입니다.

김규상_ 광명 더옳은수학, 풍산자수학연구소 연구위원

설성환_ 광명 더옳은수학, 풍산자수학연구소 연구위원

윤형은_ 상도 뉴스터디, 풍산자수학연구소 연구위원

연구진

이동환_ 부산교육대학교 교수

이상욱_ 풍산자수학연구소 책임연구원

집필진

강연주_ 상도 뉴스터디, 풍산자수학연구소 연구위원

김규상_ 광명 더옳은수학, 풍산자수학연구소 연구위원

김명중_ 상도 뉴스터디, 풍산자수학연구소 연구위원

설성환_ 광명 더옳은수학, 풍산자수학연구소 연구위원

이지은_ 부산 하이매쓰, 풍산자수학연구소 연구위원

윤형은_ 상도 뉴스터디, 풍산자수학연구소 연구위원

교과서 속 유형을 빠르게!

풍산자

개념 ✕ 유형

초등 **수학 5-1**

구성과 특징

개념
이해

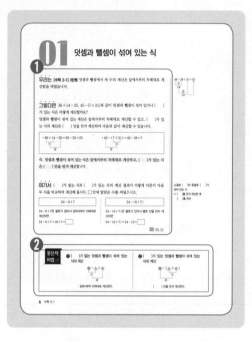

❶ 이미 배운 내용으로 앞으로 배울 내용을 자연스럽게 연계한 개념학습으로 읽으면서 이해할 수 있도록 개념을 설명했어요.

❷ 읽으면서 이해한 개념을 풍산자만의 비법으로 한눈에 정리할 수 있도록 하였습니다.

3단계
문제
해결

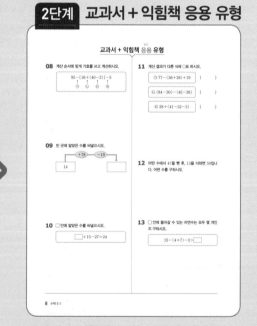

교과서와 익힘책에 있는 다양한 문제를 풀어보며 배운 개념을 문제에 적용해요.

교과서와 익힘책에 있는 유형을 응용한 문제를 풀어보며 문제 해결력을 높여요.

초등 풍산자
개념×유형의 포인트

1 읽으면서 이해되는 개념
이미 학습한 개념을 바탕으로 앞으로 배울 개념을 자연스럽게 배웁니다.

2 꼭 필요한 핵심 개념 수록
교과서 단원을 재구성한 핵심 개념으로 수학을 가장 빠르고 쉽게 익힙니다.

3 학습에 가장 효율적인 3단계 문제
유형의 3단계 문제 구성으로 수학 실력이 단계적으로 상승합니다.

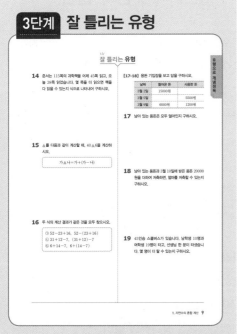

잘 틀리는 유형까지 풀어보며 개념 적용을
완벽하게 완성해요.

단원별로 배운 개념에서 확장한 문제와 흥
미로운 이야기를 담았어요.

차례

1

:::

자연수의 혼합 계산

01 덧셈과 뺄셈이 섞여 있는 식

우리는 [수학 2-1] 3단원 덧셈과 뺄셈에서 세 수의 계산은 앞에서부터 차례대로 계산함을 배웠습니다.

그렇다면 $36+14-25$, $45-(7+31)$과 같이 덧셈과 뺄셈이 섞여 있거나 ( )가 있는 식은 어떻게 계산할까요?

덧셈과 뺄셈이 섞여 있는 계산은 앞에서부터 차례대로 계산할 수 있고, ( )가 있는 식의 계산은 ( ) 안을 먼저 계산하여 다음과 같이 계산할 수 있습니다.

> • $36+14-25=50-25=25$
> • $45-(7+31)=45-38=7$

즉, 덧셈과 뺄셈이 섞여 있는 식은 앞에서부터 차례대로 계산하고, ( )가 있는 식은 ( ) 안을 먼저 계산합니다.

여기서 ( )가 없는 식과 ( )가 있는 식의 계산 결과가 어떻게 다른지 다음 두 식을 비교하여 계산해 봅시다. □ 안에 알맞은 수를 써넣으시오.

$24-6+7$	$24-(6+7)$

$24-6+7$은 괄호가 없어서 앞에서부터 차례대로 계산하면

$24-6+7=18+7=$ □

$24-(6+7)$은 괄호가 있어서 괄호 안을 먼저 계산하면

$24-(6+7)=24-13=$ □

답 25, 11

소괄호 ( )와 중괄호 { }가 섞여 있는 식
⇨ ( )를 먼저 계산한 후 { }를 계산

풍산자 비법

❶ ( )가 없는 덧셈과 뺄셈이 섞여 있는 식의 계산

앞에서부터 차례대로 계산한다.

❷ ( )가 있는 덧셈과 뺄셈이 섞여 있는 식의 계산

( ) 안을 먼저 계산한다.

01 다음 식을 계산하시오.

(1) $94+34-17$

(2) $94+(34-17)$

(3) $17-8+4$

(4) $17-(8+4)$

02 빈 곳에 알맞은 수를 써넣으시오.

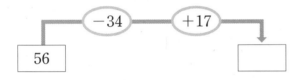

03 계산 결과를 찾아 선으로 이어 보시오.

$16+(55-8)-11$ •　• 80

$49+62-(24+7)$ •　• 52

04 계산 결과를 비교하여 ◯ 안에 $>$, $=$, $<$를 알맞게 써넣으시오.

$46-(15+9)$ ◯ $46-15+9$

05 계산 결과가 잘못된 것을 고르시오.

㉠ $53-12+29=70$
㉡ $53-(12+29)=70$
㉢ $(53-12)+29=70$

06 계산 결과가 가장 작은 식에 ◯표 하시오.

| $24+9-12$ | $32-17+5$ | $8+29-18$ |

(　　　)　(　　　)　(　　　)

07 다음 식을 계산하시오.

(1) $73-\{(11+32)+22\}$

(2) $9+\{(11-7)+25\}+2$

08 계산 순서에 맞게 기호를 쓰고 계산하시오.

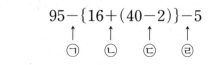

09 빈 곳에 알맞은 수를 써넣으시오.

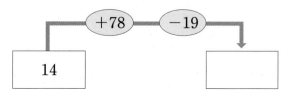

10 □ 안에 알맞은 수를 써넣으시오.

$$\square + 15 - 27 = 24$$

11 계산 결과가 다른 식에 ○표 하시오.

㉠ $77 - (36 + 26) + 19$ (　　　)

㉡ $(84 - 30) - (45 - 26)$ (　　　)

㉢ $28 + (41 - 32 - 3)$ (　　　)

12 어떤 수에서 47을 뺀 후, 13을 더하면 50입니다. 어떤 수를 구하시오.

13 □ 안에 들어갈 수 있는 자연수는 모두 몇 개인지 구하시오.

$$15 - (4 + 7) - 3 > \square$$

14 준서는 115쪽의 과학책을 어제 45쪽 읽고, 오늘 38쪽 읽었습니다. 몇 쪽을 더 읽으면 책을 다 읽을 수 있는지 식으로 나타내어 구하시오.

15 ▲를 다음과 같이 계산할 때, 40▲6을 계산하시오.

> 가▲나=가+(가−나)

16 두 식의 계산 결과가 같은 것을 모두 찾으시오.

> ㉠ 52−23+16, 52−(23+16)
> ㉡ 31+12−7, (31+12)−7
> ㉢ 6+14−7, 6+(14−7)

[17-18] 용돈 기입장을 보고 답을 구하시오.

날짜	들어온 돈	사용한 돈
3월 2일	15000원	
3월 5일		5500원
3월 9일	6000원	1200원

17 남아 있는 용돈은 모두 얼마인지 구하시오.

18 남아 있는 용돈과 3월 10일에 받은 용돈 20000원을 더하여 저축하면, 얼마를 저축할 수 있는지 구하시오.

19 45인승 스쿨버스가 있습니다. 남학생 10명과 여학생 19명이 타고, 선생님 한 분이 타셨습니다. 몇 명이 더 탈 수 있는지 구하시오.

02 곱셈과 나눗셈이 섞여 있는 식

우리는 앞 단원에서 덧셈과 뺄셈이 섞여 있고 (　　)가 있는 계산은 (　　) 안을 먼저 계산한 후 앞에서부터 차례대로 계산하였습니다.

$$35-(17+9)=35-26=9$$

그렇다면 $36\div4\times5$, $84\div(7\times2)$와 같이 곱셈과 나눗셈이 섞여 있거나 (　　)가 있는 식은 어떻게 계산할까요?

곱셈과 나눗셈이 섞여 있는 계산은 덧셈과 뺄셈이 섞여 있는 식의 계산과 같은 방법으로 앞에서부터 차례대로 계산할 수 있고, (　　)가 있는 식의 계산은 (　　) 안을 먼저 계산하여 다음과 같이 계산할 수 있습니다.

- $36\div4\times5=9\times5=45$
- $84\div(7\times2)=84\div14=6$

즉, 곱셈과 나눗셈이 섞여 있는 식은 앞에서부터 차례대로 계산하고, (　　)가 있는 식은 (　　) 안을 먼저 계산합니다.

$(32\div8)\times(10\div5)$와 같이 괄호가 두 개 이상 있는 경우
⇨ 괄호 안을 먼저 계산한 후 앞에서부터 차례대로 계산

여기서 (　　)가 없는 식과 (　　)가 있는 식의 계산 결과가 어떻게 다른지 다음 두 식을 비교하여 계산해 봅시다. ☐ 안에 알맞은 수를 써넣으시오.

$60\div5\times6$	$60\div(5\times6)$

$60\div5\times6$은 괄호가 없어서 앞에서부터 차례대로 계산하면

$60\div5\times6=12\times6=\boxed{}$

$60\div(5\times6)$은 괄호가 있어서 괄호 안을 먼저 계산하면

$60\div(5\times6)=60\div30=\boxed{}$

답▶ 72, 2

풍산자 비법

❶ (　　)가 없는 곱셈과 나눗셈이 섞여 있는 식의 계산

$$\bullet\times\blacktriangle\div\bigstar$$

앞에서부터 차례대로 계산한다.

❷ (　　)가 있는 곱셈과 나눗셈이 섞여 있는 식의 계산

$$\bullet\times(\blacktriangle\div\bigstar)$$

(　　) 안을 먼저 계산한다.

01 다음 식을 계산하시오.

(1) $50 \div 25 \times 8 \div 4 \times 2$

(2) $50 \div 25 \times 8 \div (4 \times 2)$

(3) $36 \div 9 \times 24 \div 6 \times 2$

(4) $36 \div 9 \times 24 \div (6 \times 2)$

02 빈 곳에 알맞은 수를 써넣으시오.

(1)

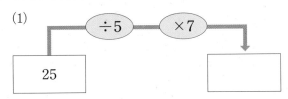

25 →(÷5)→(×7)→ ▢

(2)

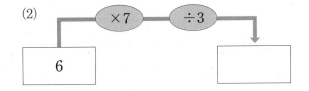

6 →(×7)→(÷3)→ ▢

03 잘못 계산한 곳을 찾아 바르게 계산하시오.

$$360 \div (6 \times 2) \div 2 = 60 \times 2 \div 2$$
$$= 120 \div 2$$
$$= 60$$

04 계산 결과가 가장 큰 식에 ○표 하시오.

$8 \times 7 \div 2$ $52 \div 4 \times 7$ $11 \times 7 \div 7$

(　　　)　(　　　)　(　　　)

05 ▢ 안에 알맞은 수를 써넣으시오.

(1) $40 \div \square \times 7 = 35$

(2) $36 \div (\square \times 6) \div 2 = 3$

06 계산 결과를 찾아 선으로 이어 보시오.

$(168 \div 3) \times (4 \div 2)$ ・　　　・ 7

$168 \div (3 \times 4) \div 2$ ・　　　・ 112

$168 \div (3 \times 4 \div 2)$ ・　　　・ 28

07 계산 순서에 맞게 기호를 쓰고 계산하시오.

$$48 \div (2 \times 8) \times 2$$
$$\uparrow \qquad \uparrow \qquad \uparrow$$
$$\text{㉠} \qquad \text{㉡} \qquad \text{㉢}$$

08 다음 식을 계산하시오.

(1) $3 \times \{16 \div (4 \div 2)\}$

(2) $63 \div 7 \times \{36 \div (12 \div 3)\}$

09 ㉠과 ㉡의 차를 구하시오.

㉠	㉡
$108 \div 27 \times 5$	$144 \div (3 \times 8)$

10 계산 결과를 비교하여 ○ 안에 >, =, <를 알맞게 써넣으시오.

$$144 \div 9 \times 2 \bigcirc 144 \div (9 \times 2)$$

11 두 번째로 계산해야 하는 부분의 기호를 쓰시오.

$$7 \times 4 \div (2 \times 7) \times 8$$
$$\uparrow \quad \uparrow \quad \uparrow \quad \uparrow$$
$$\text{㉠} \quad \text{㉡} \quad \text{㉢} \quad \text{㉣}$$

12 한 상자에 귤이 20개씩 들어 있는 상자가 6개가 있습니다. 이 귤을 15개의 바구니에 똑같이 나누어 담으려면 한 바구니에 귤을 몇 개씩 담아야 하는지 구하시오.

13 가온이는 줄넘기를 5일 동안 매일 60번씩 하고, 동생은 일주일 동안 매일 40번씩 했습니다. 누가 줄넘기를 몇 번 더 했는지 구하시오.

14 사과 120개를 8상자에 나누어 담고, 그 중 3상 자를 5명에게 똑같이 나누어 주었다면 한 사람이 가지는 사과는 몇 개인지 식으로 나타내어 구하시오.

15 ◎을 다음과 같이 계산할 때, 10◎2를 계산하시오.

가◎나=(가×가)÷(나×나)

16 계산 결과가 같은 것을 찾아 기호를 쓰시오.

㉠ 30÷5×(6÷2)
㉡ {(30÷5)×6}÷2
㉢ 30÷{5×(6÷2)}

17 계산 결과가 가장 크도록 ○ 안에 ÷, ×를 하나씩 써넣으시오.

54 ○ (6 ○ 3)

18 어떤 수에 9를 곱하고 3으로 나눈 다음, 다시 9로 나누면 3이 됩니다. 어떤 수를 구하시오.

19 식이 성립하도록 (　　)로 묶으시오.

72÷4×9=2

03 덧셈, 뺄셈, 곱셈, 나눗셈이 섞여 있는 식

우리는 앞 단원에서 덧셈과 뺄셈 또는 곱셈과 나눗셈이 섞여 있고 ( )가 있는 계산은 ( ) 안을 먼저 계산하고 앞에서부터 차례대로 계산하였습니다.

$$25-(7+3)=25-10=15$$

$$84\div(3\times4)=84\div12=7$$

그렇다면 $76\div4-(2+5)\times2$와 같이 덧셈, 뺄셈, 곱셈, 나눗셈이 섞여 있는 식은 어떻게 계산할까요?

덧셈, 뺄셈, 곱셈, 나눗셈이 섞여 있는 식은 곱셈과 나눗셈을 먼저 계산하고, ( )가 있으면 ( ) 안을 가장 먼저 계산하여 오른쪽과 같이 계산할 수 있습니다.

$$76\div4-(2+5)\times2=76\div4-7\times2$$
$$=19-7\times2$$
$$=19-14$$
$$=5$$

즉, 덧셈, 뺄셈, 곱셈, 나눗셈, ( )가 섞여 있는 식은 ( ) 안을 먼저 계산하고 곱셈과 나눗셈, 덧셈과 뺄셈 순서로 계산합니다.

여기서 ( )가 없는 식과 ( )가 있는 식의 계산 결과가 어떻게 다른지 다음 두 식을 비교하여 계산해 봅시다. □ 안에 알맞은 수를 써넣으시오.

$800\div4-12+30\times2$

$800\div4-12+30\times2$는 괄호가 없어서 곱셈과 나눗셈을 먼저 계산하면
$$800\div4-12+30\times2=200-12+30\times2$$
$$=200-12+60$$
$$=188+60=\boxed{}$$

$800\div4-(12+30)\times2$

$800\div4-(12+30)\times2$는 괄호가 있어서 괄호 안을 먼저 계산하면
$$800\div4-(12+30)\times2=800\div4-42\times2$$
$$=200-42\times2$$
$$=200-84=\boxed{}$$

답 248, 116

( )가 있는 덧셈, 뺄셈, 곱셈, 나눗셈이 섞여 있는 식의 계산 순서

( ) 안을 먼저 계산한다.

▼

곱셈과 나눗셈을 앞에서부터 차례대로 계산한다.

▼

덧셈과 뺄셈을 앞에서부터 차례대로 계산한다.

풍산자 비법 ✨

❶ ( )가 없는 덧셈, 뺄셈, 곱셈, 나눗셈이 섞여 있는 식의 계산

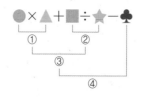

곱셈과 나눗셈을 먼저 계산한다.

❷ ( )가 있는 덧셈, 뺄셈, 곱셈, 나눗셈이 섞여 있는 식의 계산

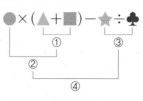

( ) 안을 먼저 계산한다.

01 다음 식을 계산하시오.

(1) $70-24\div(2\times3)$

(2) $31+(28\div7)\times3$

02 가장 먼저 계산해야 하는 부분의 기호를 쓰시오.

$$50-36\div(3+9)$$
$$\uparrow \quad \uparrow \quad \uparrow$$
$$ⓐ \quad ⓑ \quad ⓒ$$

03 다음 식을 계산하시오.

(1) $32-8\times2+3$

(2) $(32-8)\times2+3$

(3) $12+32\div16-8$

(4) $12+32\div(16-8)$

04 가장 먼저 계산해야 하는 부분에 ○표 하시오.

$$200-20\div4-\{2+(32-24)\times9\}$$

05 다음 식을 계산하시오.

(1) $32-(12-7)\times3$

(2) $25+5\times(13-9)$

06 계산 결과를 비교하여 ○ 안에 >, =, <를 알맞게 써넣으시오.

$$10\times\{13-(8+4)\}\bigcirc320\div(8\times2)$$

07 계산 순서에 맞게 기호를 쓰고 계산하시오.

$$6 \times \{9 - 16 \div (10 - 2)\}$$
$$\uparrow \quad \uparrow \quad \uparrow \quad \uparrow$$
$$㉠ \quad ㉡ \quad ㉢ \quad ㉣$$

08 계산 결과가 같은 것을 찾아 기호를 쓰시오.

㉠ $20 + 15 \div 5 \times 17$
㉡ $(20 + 15) \div 5 \times 17$
㉢ $20 + (15 \div 5) \times 17$

09 계산 결과가 작은 것부터 차례대로 기호를 쓰시오.

㉠ $2 + 15 \times 4 - 34 \div 2$
㉡ $25 + 35 \div 7 - 3 \times 6$
㉢ $(17 + 3) \times 3 + 4 \div 2 - 6$

10 세 번째로 계산해야 하는 부분의 기호를 쓰시오.

$$50 - \{48 \div 3 + (9 - 8) \times 6\}$$
$$\uparrow \quad \uparrow \quad \uparrow \quad \uparrow \quad \uparrow$$
$$㉠ \quad ㉡ \quad ㉢ \quad ㉣ \quad ㉤$$

11 계산 결과가 가장 큰 식에 ○표 하시오.

㉠ $(11 - 4) \times 2 + 3$ (   )

㉡ $(9 + 13 \times 3) \div 16$ (   )

㉢ $46 \div 2 + (8 - 3)$ (   )

12 식이 성립하도록 ( )로 묶으시오.

$$6 + 24 \div 3 \times 2 - 4 = 6$$

13 지원이네 반 학생들은 귤 25개를 나누어 먹으려고 합니다. 여학생 3명과 남학생 4명으로 이루어진 모둠에 한 사람당 귤을 1개씩 모두 3모둠에 주고, 선생님께서 귤을 1개 가지고 가셨습니다. 남은 귤은 모두 몇 개인지 구하시오.

14 잘못 계산한 곳을 찾아 바르게 계산하시오.

$$\{64-16\div(6-2)\}\times3$$
$$=48\div(6-2)\times3$$
$$=48\div4\times3$$
$$=12\times3$$
$$=36$$

15 ♠을 다음과 같이 계산할 때, 12♠6을 계산하시오.

$$가♠나=(가+나\times가)\div나$$

16 자동차를 60대까지 주차할 수 있는 주차장에 자동차가 8대씩 4줄로 주차되어 있었습니다. 이 중 16대가 빠져나갔다면 앞으로 주차장에 몇 대의 자동차를 더 주차할 수 있는지 구하시오.

17 3개에 960원인 자두 한 개와 900원짜리 사과 한 개를 사고 2000원을 냈습니다. 거스름돈은 얼마인지 구하시오.

18 어떤 수에서 4를 빼고 9를 곱할 것을 잘못하여 어떤 수를 9로 나누고 4를 더하였더니 6이 되었습니다. 바르게 계산한 답을 구하시오.

19 식이 성립하도록 ○ 안에 −, ×, ÷를 한 번씩 알맞게 써넣으시오.

$$(4\bigcirc4\bigcirc4)\bigcirc4=3$$

0보다 작은 수는 무엇 일까요?

지금까지 우리는 자연수의 혼합 계산을 배웠습니다.

큰 수에서 작은 수를 빼는 문제들을 많이 풀었는데요

작은 수에서 큰 수를 빼면 어떻게 될까요?

궁금한 친구들은 함께 0보다 작은 수에 대해 공부해봅시다.

0보다 작은 수는 무엇일까요?

작은 수에서 큰 수를 뺄 수 있을까요?

작은 수에서 큰 수를 뺀 결과는 어떻게 표현해야 할까요?

이제부터 1−2처럼 작은 수에서 큰 수를 뺄 때에는 음수를 이용하면 됩니다.

음수는 0보다 작은 수입니다.

음수는 중학교에서 배우는데 여기서 살짝~ 살펴보도록 합시다.

음수는 우리가 쓰는 자연수, 분수 등의 앞에 '−'를 붙인 형태로 표현됩니다.

$-1, -1.5, -\dfrac{3}{5}$ 처럼요!

어렵다면 수직선을 통해 알아볼까요?

수직선에서 빼기는 왼쪽으로 이동, 더하기는 오른쪽으로 이동을 의미합니다.

예를 들면, 1+3이면 1에서 오른쪽으로 3칸 이동하는 것입니다.

1에서 오른쪽으로 3칸 이동한 점인 4가 1+3의 결과가 되는 것이지요.

그렇다면 2−4는 어떻게 될까요?

2−4는 2에서 왼쪽으로 4칸 이동하면 됩니다.

즉, 2에서 왼쪽으로 4칸 이동한 점인 −2가 되는 것입니다.

마찬가지로 −3−2는 −3에서 왼쪽으로 2칸 이동하면 됩니다. 즉, −5가 되지요.

이해가 되었나요? 그럼, 아래 문제를 풀어봅시다.

음수의 덧셈과 뺄셈을 풀어볼까요?

[1] $1-2=$

[2] $-5+3=$

[3] $-2+8=$

[4] $4-7=$

[5] $5-6=$

[6] $-12+9=$

[7] $4-9=$

[8] $-1-5=$

[9] $2-5=$

[10] $8-10=$

2

:::

약수와 배수

04 약수, 배수

우리는 [수학 3-1] 3단원 나눗셈에서 곱셈과 나눗셈의 관계를 알아보았습니다.
예를 들어, 14를 곱셈식과 나눗셈식으로 나타내면 다음과 같습니다.

- 곱셈식으로 나타내면 $7 \times 2 = 14$, $2 \times 7 = 14$
- 곱셈식을 나눗셈식으로 나타내면 $14 \div 7 = 2$, $14 \div 2 = 7$

이때 어떤 수를 나누어떨어지게 하는 수를 그 수의 **약수**라고 합니다. 예를 들어, 14를 나누어떨어지게 하는 수 1, 2, 7, 14는 14의 약수입니다.
또한, 어떤 수를 1배, 2배, 3배……한 수를 그 수의 **배수**라고 합니다. 예를 들어, 3을 1배, 2배, 3배……한 수 3, 6, 9……는 3의 배수입니다.

그럼, 약수와 배수는 어떤 관계가 있을까요?
곱을 이용하여 약수와 배수의 관계를 알아보면 다음과 같습니다.

- 14를 두 수의 곱으로 나타내면 $14 = 1 \times 14$, $14 = 2 \times 7$이므로
  14는 1, 2, 7, 14의 배수이고, 1, 2, 7, 14는 14의 약수입니다.

즉, 어떤 두 수의 곱이 다른 수가 될 때, 어떤 두 수는 다른 수의 약수이고 다른 수는 어떤 두 수의 배수가 된다는 것을 알 수 있습니다.

여기서 12를 여러 가지 수의 곱으로 나타내고 약수와 배수의 관계를 알아봅시다.
□ 안에 알맞은 수를 써넣으시오.

$$12 = 1 \times 12, \quad 12 = 2 \times 6, \quad 12 = 3 \times 4, \quad 12 = 2 \times 2 \times 3$$

(1) 곱셈식을 이용하면 12는 1, 2, 3, 4, 6, 12의 [ ]임을 알 수 있습니다.

(2) 곱셈식을 이용하여 12의 [ ]를 찾으면 1, 2, 3, 4, 6, 12입니다.

답 (1) 배수 (2) 약수

모든 수는 1로 나누어떨어진다
⇨ 1은 모든 수의 약수

2의 배수는 2, 4, 6, 8……
3의 배수는 3, 6, 9, 12……
⇨ 어떤 수의 배수에는
자기 자신이 항상 포함

배수를 찾는 방법
3의 배수: 각 자리 숫자의 합이
3의 배수인 수
4의 배수: 끝의 두 자리 수가
00이거나 4의 배수인
수

풍산자 비법 ✨

$$\blacksquare \times \blacktriangle = \bigstar \quad \Rightarrow \quad \begin{array}{l} \blacksquare \text{와 } \blacktriangle \text{는 } \bigstar \text{의 약수} \\ \bigstar \text{은 } \blacksquare \text{와 } \blacktriangle \text{의 배수} \end{array}$$

01 □ 안에 알맞은 수를 써넣으시오.

$$10÷1=10 \qquad 10÷2=5$$
$$10÷3=3 \cdots 1 \qquad 10÷4=2 \cdots 2$$
$$10÷5=2 \qquad 10÷6=1 \cdots 4$$
$$10÷7=1 \cdots 3 \qquad 10÷8=1 \cdots 2$$
$$10÷9=1 \cdots 1 \qquad 10÷10=1$$

➯ 10은 □, □, □, □으로 나누
어떨어집니다.

➯ 10의 약수는 □, □, □, □입
니다.

02 □ 안에 알맞은 수를 써넣으시오.

$$7×1=\boxed{}, \qquad 7×2=\boxed{}$$
$$7×3=\boxed{}, \qquad 7×4=\boxed{} ……$$

7의 배수 ➯ □, □, □, □ ……

03 □ 안에 알맞은 수를 써넣고, 45의 약수를 구하
시오.

$$45÷\boxed{}=45 \qquad 45÷\boxed{}=15$$
$$45÷\boxed{}=9 \qquad 45÷\boxed{}=5$$
$$45÷\boxed{}=3 \qquad 45÷\boxed{}=1$$

45의 약수 ➯ _____

04 20의 약수에는 ○표, 18의 약수에는 △표 하
시오.

1	2	3	4	5	6	7	8	9	10
11	12	13	14	15	16	17	18	19	20

05 16이 ㉠의 배수일 때, ㉠에 알맞은 수를 모두
구하시오.

㉠	16

06 다음 중 63을 나누어떨어지게 하는 수가 아닌
것을 모두 찾아 기호를 쓰시오.

㉠ 1	㉡ 4	㉢ 6
㉣ 9	㉤ 21	㉥ 63

07 다음 중 약수와 배수의 관계인 수를 모두 찾아
쓰시오.

5 6 10 12 18 20

08 약수에 대한 설명으로 옳지 않은 것은 어느 것입니까?

① 모든 자연수는 1로 나누어떨어집니다.

② 어떤 수의 약수 중에서 가장 작은 수는 항상 1입니다.

③ 어떤 수의 약수에는 1과 자기 자신은 항상 포함됩니다.

④ 어떤 수의 가장 큰 약수는 자기 자신입니다.

⑤ 약수의 개수는 수가 클수록 많습니다.

[09-10] 수 배열표를 보고, 물음에 답하시오.

1	2	3	4	5	6	7	8	9	10
11	12	13	14	15	16	17	18	19	20
21	22	23	24	25	26	27	28	29	30

09 3의 배수에는 ○표, 6의 배수에는 ☆표 하시오.

10 3의 배수와 6의 배수의 관계를 설명하시오.

11 다음 중 약수의 개수가 다른 하나를 찾아 기호를 쓰시오.

㉠	㉡	㉢
4	19	9

12 4의 배수를 모두 고르시오.

44　69　72　120　500　732

13 두 조건을 모두 만족하는 수는 모두 몇 개인지 구하시오.

㉠ 20 초과 70 이하인 자연수이다.
㉡ 8의 배수이다.

14 약수와 배수의 관계가 아닌 것의 기호를 모두 쓰시오.

㉠	㉡	㉢
4와 72	7과 85	6과 54

㉣	㉤	㉥
8과 63	9와 87	12와 96

15 15의 배수 중 100에 가장 가까운 수를 쓰시오.

16 42와 서로 약수와 배수의 관계가 아닌 것은 어느 것입니까?

① 1   ② 3   ③ 9

④ 21   ⑤ 84

17 두 수가 약수와 배수의 관계가 되도록 빈 곳에 1 이외의 알맞은 수를 써넣으시오.

	48

18 정사각형 12개로 만들 수 있는 서로 다른 직사각형은 모두 몇 가지인지 구하시오. (단, 돌려서 겹치는 모양은 한 가지로 생각합니다.)

19 두 조건을 모두 만족하는 수를 구하시오.

> ㉠ 20의 약수입니다.
> ㉡ 약수를 모두 더하면 7입니다.

20 24의 약수이면서 4의 배수인 수를 모두 구하시오.

21 세 조건을 모두 만족하는 1보다 큰 자연수 ㉠, ㉡의 값을 각각 구하시오.

> • 36=㉠×㉡
> • ㉠은 짝수이고, ㉡은 홀수입니다.
> • ㉡은 ㉠보다 큰 수입니다.

05 공약수와 최대공약수

14의 약수: 1, 2, 7, 14
35의 약수: 1, 5, 7, 35

우리는 앞 단원에서 약수에 대하여 알아보았습니다. 어떤 수를 나누어떨어지게 하는 수를 그 수의 약수라고 하였습니다.

그렇다면 14와 35의 공통인 약수도 있을까요?

1, 7은 14의 약수도 되고 35의 약수도 됩니다. 14과 35의 공통된 약수 1, 7을 14와 35의 **공약수**라고 하며, 공약수 중에서 가장 큰 수인 7을 14와 35의 **최대공약수**라고 합니다.

한편 최대공약수는 다음과 같이 두 가지 방법으로 구할 수 있습니다.

[방법 1] 곱셈식 이용하기	[방법 2] 공약수로 나누기
$14 = 7 \times 2$, $35 = 7 \times 5$ 최대공약수는 7입니다.	7) 14 35 최대공약수는 7입니다. 2 5

이때 두 수의 공약수는 두 수의 최대공약수의 약수임을 알 수 있습니다.

여기서 54와 72의 최대공약수를 두 가지 방법으로 구해봅시다. □ 안에 알맞은 수를 써넣으시오.

(1) 곱셈식 이용하기

$18 = 2 \times 3 \times 3$, $24 = 2 \times 2 \times 2 \times 3$

공통으로 곱해진 부분끼리의 곱은

$2 \times 3 = \boxed{}$

따라서 최대공약수는 $\boxed{}$입니다.

(2) 공약수로 나누기

공약수들의 곱은

$2 \times 3 = \boxed{}$

2) 18 24
3) 9 12
     3   4

따라서 최대공약수는 $\boxed{}$입니다.

답 (1) 6, 6 (2) 6, 6

곱셈식 이용하기

두 수를 1이 아닌 가장 작은 수들의 곱으로 나타냅니다.

▼

(두 수의 최대공약수)
=(공통으로 들어 있는 수들의 곱)

공약수로 나누기

두 수를 1이 아닌 공약수로 나눕니다.

▼

(두 수의 최대공약수)
=(나눈 수들의 곱)

풍산자 비법 ✨

❶ 곱셈식을 이용하여 최대공약수 구하기

■ = ★ × ◆

● = ★ × ♣

곱셈식에 공통으로 들어 있는 가장 큰 수인
★이 최대공약수이다.

❷ 공약수로 나누어 최대공약수 구하기

★) ■ ●
     ◆ ♣

두 수를 나눌 수 있는 가장 큰 수인
★이 최대공약수이다.

01 10과 20의 약수를 각각 구하고, 공약수와 최대 공약수를 구하시오.

(1) 10의 약수 ⇨

(2) 20의 약수 ⇨

(3) 10과 20의 공약수 ⇨

(4) 10과 20의 최대공약수 ⇨

02 □ 안에 알맞은 수를 써넣고, 30과 36의 최대 공약수를 구하시오.

$$30 = 2 \times \square \times \square$$
$$36 = 2 \times 2 \times \square \times \square$$

03 28과 42를 공약수로 나누어 보면서 최대공약 수를 구하시오.

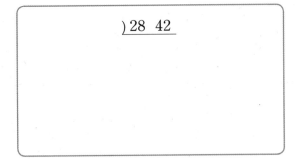

) 28 42

04 18과 24의 최대공약수를 구하시오.

05 45와 75의 공약수를 모두 구하시오.

06 두 수 ㉮와 ㉯의 최대공약수를 구하시오.

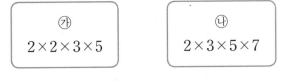

㉮	㉯
$2 \times 2 \times 3 \times 5$	$2 \times 3 \times 5 \times 7$

07 두 수의 최대공약수가 가장 큰 것을 찾아 기호 를 쓰시오.

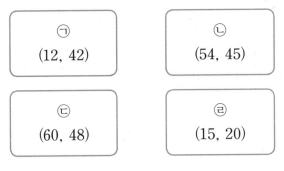

㉠	㉡
(12, 42)	(54, 45)
㉢	㉣
(60, 48)	(15, 20)

08 84와 126의 공약수가 아닌 수를 모두 고르시오.

> 2, 3, 4, 7, 12, 21, 32

09 어떤 두 수의 최대공약수가 15일 때, 이 두 수의 공약수를 모두 구하시오.

10 공약수의 개수가 가장 많은 것의 기호를 쓰시오.

㉠	㉡	㉢
(24, 36)	(28, 32)	(40, 56)

11 최대공약수를 찾아 선으로 이어 보시오.

12와 20 •		• 15
30과 42 •		• 6
45와 60 •		• 4

12 60과 108의 공약수 중에서 3의 배수인 수를 모두 구하시오.

13 어떤 두 수의 최대공약수가 21일 때, 이 두 수의 공약수를 모두 더하면 얼마인지 구하시오.

14 초콜릿 56개와 사탕 72개를 될 수 있는 대로 많은 학생에게 남김없이 똑같이 나누어 주려고 합니다. 학생 한 명이 받을 수 있는 초콜릿과 사탕은 각각 몇 개인지 구하시오.

15 48과 어떤 수의 최대공약수가 16일 때, 48과 어떤 수의 공약수는 모두 몇 개인지 구하시오.

16 54와 63을 어떤 수로 나누면 모두 나누어떨어집니다. 어떤 수 중에서 가장 큰 수를 구하시오.

17 66을 어떤 수로 나누면 나머지가 2이고, 43을 어떤 수로 나누면 나머지가 3입니다. 어떤 수 중에서 가장 큰 수를 구하시오.

18 공책 21권, 연필 54자루를 학생들에게 똑같이 나누어 주려고 하였더니 공책은 3권이 부족하고 연필은 6자루가 부족하였습니다. 학생 몇 명에게 나누어 주려고 하였는지 구하시오.

19 가로가 72 m, 세로가 48 m인 직사각형 모양의 땅 둘레에 같은 간격으로 나무를 심으려고 합니다. 나무를 될 수 있는 대로 적게 심고 네 꼭짓점에는 반드시 나무를 심으려고 할 때, 나무는 모두 몇 그루가 필요한지 구하시오.

20 자연수 가와 나의 공약수의 개수를 '가⊗나'라고 약속할 때, ㉠을 구하시오.

$$(20 \otimes 28) + (63 \otimes 27) = ㉠$$

06 공배수와 최소공배수

6의 배수: 6, 12, 18, 24, 30, 36, 42, 48, 54……
8의 배수: 8, 16, 24, 32, 40, 48, 56, 64, 72……

우리는 앞 단원에서 배수에 대하여 알아보았습니다. 어떤 수를 1배, 2배, 3배……
한 수를 그 수의 배수라고 하였습니다.

그렇다면 6과 8의 공통인 배수를 찾아볼까요?
24, 48, 72……는 6의 배수도 되고 8의 배수도 됩니다. 6과 8의 공통된 배수 24,
48, 72……를 6과 8의 **공배수**라고 하며, 공배수 중에서 가장 작은 수인 24를 6과 8
의 **최소공배수**라고 합니다.

한편 최소공배수는 다음과 같이 두 가지 방법으로 구할 수 있습니다.

[방법 1] 곱셈식 이용하기	[방법 2] 공약수로 나누기
$6=2\times3$, $8=2\times2\times2$ 최소공배수는 $2\times2\times2\times3=24$입니다.	$2\,)\,\underline{6\quad8}$ 최소공배수는 $3\quad4$ $2\times3\times4=24$

이때 두 수의 공배수는 두 수의 최소공배수의 배수임을 알 수 있습니다.

여기서 16과 24의 최소공배수를 두 가지 방법으로 구해봅시다. ☐ 안에 알맞은 수
를 써넣으시오.

(1) 곱셈식 이용하기
$16=2\times2\times2\times2$, $24=2\times2\times2\times3$
공통으로 곱해진 부분과 나머지 부분의 수의 곱
은 $2\times2\times2\times2\times3=$ ☐
따라서 최소공배수는 ☐ 입니다.

(2) 공약수로 나누기
나눈 수와 몫의 곱은
$2\times2\times2\times2\times3=$ ☐
따라서 최소공배수는 ☐ 입니다.

$2\,)\,\underline{16\quad24}$
$2\,)\,\underline{8\quad12}$
$2\,)\,\underline{4\quad6}$
$2\quad3$

답 (1) 48, 48 (2) 48, 48

곱셈식 이용하기

두 수를 1이 아닌 가장 작은 수들의 곱으로 나타냅니다.
▼
(두 수의 최소공배수)
=(공통으로 들어 있는 수들의 곱에 나머지 수들을 모두 곱한 수)

공약수로 나누기

두 수를 1이 아닌 공약수로 나눕니다.
▼
(두 수의 최대공약수)
=(나눈 수와 몫의 곱)

풍산자 비법

❶ 곱셈식을 이용하여 최소공배수 구하기

공통인 최대공약수와 남은 수를 곱한다.
⇨ ★×◆×♣

❷ 최대공약수로 나누어 최소공배수 구하기

최대공약수와 밑에 남은 몫을 모두 곱한다.
⇨ ★×◆×♣

01 2와 3의 배수를 각각 구하고, 2와 3의 공배수와 최소공배수를 구하시오. (단, 공배수는 가장 작은 수부터 5개만 쓰시오.)

(1) 2의 배수 ⇨

(2) 3의 배수 ⇨

(3) 2와 3의 공배수 ⇨

(4) 2와 3의 최소공배수 ⇨

02 □ 안에 알맞은 수를 써넣고, 30과 45의 최소공배수를 구하시오.

$$30 = \boxed{} \times 3 \times 5$$
$$45 = \boxed{} \times 3 \times 5$$

03 16과 28을 공약수로 나누어 보면서 최소공배수를 구하시오.

$$\begin{array}{r})\,16\quad 28 \end{array}$$

04 3과 9의 공배수 중에서 100에 가장 가까운 수를 구하시오.

05 어떤 두 수의 최소공배수가 150일 때, 이 두 수의 공배수를 가장 작은 수부터 3개만 쓰시오.

06 최소공배수가 가장 작은 수부터 차례대로 기호를 쓰시오.

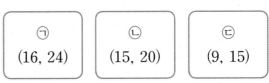

㉠	㉡	㉢
(16, 24)	(15, 20)	(9, 15)

07 최소공배수를 찾아 선으로 이어 보시오.

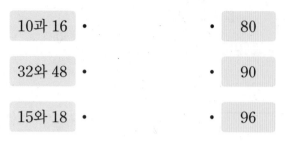

10과 16 •		• 80
32와 48 •		• 90
15와 18 •		• 96

08 어떤 두 수의 최소공배수는 15입니다. 두 수의 공배수를 모두 고르시오.

44 65 60 45 33 70 35

09 두 수 ㉮, ㉯의 공배수가 아닌 수를 모두 고르시오.

㉮=2×3×5   ㉯=2×2×3

60 80 100 120

10 8과 12의 공배수 중에서 두 자리 수는 모두 몇 개인지 구하시오.

11 4의 배수도 되고 14의 배수도 되는 수 중에서 100에 가장 가까운 수를 구하시오.

12 어떤 두 수의 최소공배수는 24입니다. 어떤 두 수의 공배수 중에서 가장 큰 두 자리 수를 구하시오.

13 지혜네 가족은 18일마다 이웃 돕기 성금을 내고, 24일마다 지역 봉사 활동을 합니다. 오늘 두 가지를 동시에 하였다면 다음에 두 가지를 동시에 하는 날은 오늘로부터 며칠 후인지 구하시오.

14 가로가 30 cm, 세로가 24 cm인 직사각형 모양의 카드를 겹치지 않게 붙여서 될 수 있는 대로 작은 정사각형을 만들려고 합니다. 직사각형 모양의 카드는 모두 몇 장이 필요한지 구하시오.

15 어떤 수를 54와 90으로 나누면 모두 나누어떨어집니다. 어떤 수 중에서 가장 큰 세 자리 수를 구하시오.

18 ㉮형광등은 5초 동안 켜졌다 1초 동안 꺼지고, ㉯형광등은 8초 동안 켜졌다 2초 동안 꺼집니다. 두 형광등이 오후 2시에 동시에 켜졌다면 그 이후에 35번째로 동시에 켜지는 시각은 몇 시 몇 분 몇 초인지 구하시오.

[16-17] 고속버스 터미널에 있는 버스 출발 시간표입니다. 물음에 답하시오.

출발 횟수	가 버스	나 버스
1	오전 5:00	오전 5:00
2	오전 5:15	오전 5:20
3	오전 5:30	오전 5:40
4	오전 5:45	오전 6:00
⋮	⋮	⋮

19 1부터 200까지의 자연수 중에서 6의 배수도 9의 배수도 아닌 자연수는 모두 몇 개인지 구하시오.

16 두 버스는 몇 분마다 동시에 출발하는지 구하시오.

20 어느 공장에 기계 ㉮와 ㉯가 있습니다. 안전 검사를 ㉮기계는 6개월마다 실시하고, ㉯기계는 10개월마다 실시합니다. 두 기계를 이번 달에 동시에 검사했다면 다음에 동시에 검사하는 때는 몇 개월 뒤인지 구하시오.

17 두 버스가 네 번째로 동시에 출발하는 시각을 구하시오.

배수 판별하기

지금까지 우리는 약수와 배수 를 배웠습니다.

네? 재미가 별로 없었다고요? 걱정하지 말아요~

재미를 느끼지 못했던 친구들을 위해 준비했답니다.

수를 보고 그것이 어떤 수의 배수인지 바로 알 수 있는 방법을 알려줄 거랍니다!

어때요, 신기하죠? 어떻게 한 눈에 알아챌 수 있을까 궁금하지 않나요?

조금은 어려울 수도 있겠지만, 새로운 수학의 세계에 빠져들 준비가 되었나요?

One, two, three~ Let's go!

어떤 수의 배수인지 어떻게 판별할까요?

2의 배수: 일의 자리가 짝수

3의 배수: 각 자리 수의 합이 3의 배수

4의 배수: 끝 두 자리가 4의 배수이거나 00

5의 배수: 일의 자리 수가 0이거나 5

6의 배수: 2의 배수이면서 3의 배수

　　　　　일의 자리가 짝수이고, 각 자리 수의 합이 3의 배수

8의 배수: 끝 세 자리가 8의 배수이거나 000

9의 배수: 각 자리 수의 합이 9의 배수

배수를 판별해 볼까요?

주어진 수가 2의 배수이면 괄호에 2를 써넣고, 3의 배수이면 3을, 5의 배수이면 5를 각각 써넣으시오. (중복 가능)

[1] 38 (　　　　　)　　　　　　　[2] 72 (　　　　　)

[3] 115 (　　　　　)　　　　　　[4] 87 (　　　　　)

[5] 415 (　　　　)　　　　　　　[6] 45 (　　　　　)

[7] 68 (　　　　)　　　　　　　[8] 20 (　　　　)

[9] 55 (　　　)　　　　　　　[10] 34 (　　　)

3

:::

규칙과 대응

두 양 사이의 관계

우리는 [수학 4-1] 6단원 규칙찾기에서 다양한 상황에서 규칙을 찾는 방법을 배웠습니다. 도형이 주어진 경우 도형의 개수와 도형이 놓이는 모양을 살펴보면 규칙을 찾을 수 있었습니다.

쌓기나무의 개수가 아래쪽으로 1개, 위쪽으로 1개씩 계단 모양으로 늘어납니다.

그렇다면 규칙이 있는 두 수 사이에서 대응이라는 관계를 알아볼까요?

강아지의 다리는 4개입니다. 강아지의 수와 다리의 수 사이의 대응 관계를 표로 나타내면 다음과 같습니다.

강아지의 수(마리)	1	2	3	4	5
다리의 수(개)	4	8	12	16	20

표를 통해 강아지가 한 마리 늘어날 때마다 다리가 4개씩 늘어나는 대응 관계가 있다는 것을 알 수 있습니다.

즉, 규칙적인 배열에서 한 양이 변할 때 다른 양이 그에 따라 일정하게 변하는 관계를 **대응 관계**라고 합니다.

두 양 사이의 대응 관계를 말할 때에는 되도록 두 양을 모두 언급합니다.

여기서 두 양 사이의 관계에 어떤 규칙성이 있는지 그림을 통해 알아보고, ☐ 안에 알맞은 것을 써넣으시오.

빨간색의 사각판의 수는 파란색 사각판의 수보다 ☐

답 2배 많습니다.

풍산자 비법

대응 관계 ⇨ 한 양이 변할 때 다른 양이 그에 따라 일정하게 변하는 관계

교과서 + 익힘책 유형

유형으로 개념정복

01 과자의 수와 사탕의 수 사이의 관계를 구하려고 합니다. 빈 곳에 알맞은 수를 쓰고 알맞은 말에 ○표 하시오.

과자의 수(개)	2	3	4	5
사탕의 수(개)	6	7	8	9

사탕은 과자보다 _____ 개 (많습니다/적습니다).

[02-05] 긴 리본 끈을 가위로 자르고 있습니다. 물음에 답하시오.

02 한 번 자르면 리본 끈은 몇 개가 되는지 구하시오.

03 두 번 자르면 리본 끈은 몇 개가 되는지 구하시오.

04 세 번 자르면 리본 끈은 몇 개가 되는지 구하시오.

05 자른 횟수와 리본 끈의 관계를 표로 나타내시오.

자른 횟수(회)	1	2	3	4
리본 끈 수(개)		3		

06 두발자전거의 수와 두발자전거의 바퀴의 수 사이의 관계를 구하려고 합니다. 빈 곳에 알맞은 수를 쓰고 알맞은 말에 ○표 하시오.

두발자전거의 수(대)	4	5	6		8	
두발자전거의 바퀴의 수(개)	8		12	14	16	18

두발자전거의 바퀴의 수는 두발자전거의 수보다 _____ 만큼 (큽니다/작습니다).

[07-08] 다음 표는 준서와 준서 동생의 나이를 나타낸 것입니다. 물음에 답하시오.

준서의 나이(살)	5	6	7	8
준서 동생의 나이(살)	1	2	3	4

07 준서와 동생의 나이 사이의 관계를 구하시오.

08 준서가 13살이 되면 동생은 몇 살이 되는지 구하시오.

09 자동차 한 대에 4명이 탈 수 있습니다. 자동차 8대에는 모두 몇 명이 탈 수 있는지 구하시오.

3. 규칙과 대응 **35**

10 하노이의 탑 1세트에는 8개의 링이 들어 있습니다. 하노이의 탑 5세트에는 모두 몇 개의 링이 들어 있는지 구하시오.

11 장미꽃의 수와 튤립의 수의 관계를 구하려고 합니다. 빈 곳에 알맞은 수를 쓰고 알맞은 말에 ○표 하시오.

장미꽃의 수(송이)	23	24	25	26
튤립의 수(송이)	12	13	14	15

튤립은 장미꽃보다 _____ 송이 (많습니다/적습니다).

12 정이가 가진 돈은 연우가 가진 돈의 3배입니다. 정이가 가진 돈이 6000원이면 연우가 가진 돈은 얼마인지 구하시오.

13 한 장에 250원인 스티커를 사려고 합니다. 스티커의 수와 스티커 가격 사이의 관계를 구하고, 스티커 7장의 가격을 구하시오.

[14-16] 문어의 수와 문어 다리 수의 관계를 표로 나타낸 것입니다. 물음에 답하시오.

문어의 수(마리)	1	2	3	4	5
다리의 수(개)	8				

14 표를 완성하시오.

15 문어가 8마리일 때, 문어 다리는 총 몇 개인지 구하시오.

16 문어 다리가 112개라면 문어는 총 몇 마리가 있는지 구하시오.

17 주원이는 매달 5000원씩 저축을 합니다. 올해 1월 처음 저축을 했다면 일 년 뒤 주원이는 얼마를 저축했을지 구하시오.

[18-19] 식탁의 수와 의자의 수 사이의 관계를 알아보려고 합니다. 물음에 답하시오.

식탁의 수(개)	1	2		4	5
의자의 수(개)			12		

18 표를 완성하시오.

19 식탁의 수와 의자의 수 사이의 관계를 구하시오.

20 표에서 동화책의 수는 위인전의 수의 2배보다 1만큼 더 큽니다. 빈 곳에 알맞은 수를 써넣으시오.

위인전의 수(권)	1	2			5
동화책의 수(권)	3		7		

21 쌓기나무를 사용하여 다음과 같은 모양을 만들려고 합니다. 표를 완성하고 모양 수와 쌓기나무 수와의 관계를 구하시오.

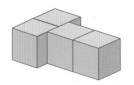

모양 수(개)	1	2	3	
쌓기나무 수(개)	4	8		

[22-23] 표는 서울과 뉴욕의 시각을 나타낸 표입니다. 물음에 답하시오.

서울	오후 3시	오후 6시	오후 10시
뉴욕	오전 2시	오전 5시	오전 9시

22 두 도시의 시각 사이의 관계를 구하시오.

23 뉴욕이 오전 10시라면 서울은 몇 시인지 구하시오.

24 수진이는 2008년도에 태어났고, 수진이 동생은 2013년도에 태어났습니다. 수진이가 17살이 되면 동생은 몇 살이 되는지 구하시오.

 대응 관계를 식으로 나타내기

우리는 앞 단원에서 대응 관계에 대해 알아보았습니다. 한 양이 변할 때 다른 양이 그에 따라 일정하게 변하면 이 관계는 대응 관계라고 합니다.

그렇다면 대응 관계를 어떻게 식으로 간단하게 표현할 수 있을까요?
꽃잎이 5장인 꽃이 있습니다. 꽃송이의 수와 꽃잎의 수 사이의 대응 관계를 표로 나타낸 후 식으로 표현해 봅시다.

꽃송이의 수(송이)	1	2	3	4	5
꽃잎의 수(장)	5	10	15	20	25

꽃잎의 수는 꽃송이의 수보다 5배 많습니다. 또한 꽃잎이 5장이면 꽃송이 1개를 만들 수 있습니다. 이러한 대응 관계를 식으로 나타내면,

(꽃송이의 수)×5＝(꽃잎의 수) 또는 (꽃잎의 수)÷5＝(꽃송이의 수)

로 나타낼 수 있습니다. 또한 꽃송이의 수를 ●, 꽃잎의 수를 ▲라고 하면

●×5＝▲ 또는 ▲÷5＝●

와 같이 식으로 나타낼 수 있습니다.
즉, 한 양이 변하면 다른 한 양이 그에 따라 일정하게 변하는 대응 관계를 식으로 나타낼 수 있으며, 이때 ●, ▲, ■ 등과 같은 기호를 사용하면 훨씬 편리합니다.

> 같은 두 양의 대응 관계를 나타내는 식이라도 기준이 무엇인가에 따라 표현된 식이 다릅니다. 즉, 한 가지 상황에서 다양한 대응 관계를 찾을 수 있습니다.

여기서 사탕 1개의 가격이 500원일 때, 사탕의 개수와 사탕의 가격 사이의 대응 관계를 식으로 나타내어 봅시다. ☐ 안에 알맞은 것을 써넣으시오.

사탕의 개수를 ★, 사탕의 가격을 ▲라고 할 때
두 양 사이의 대응 관계를 식으로 나타내면 ▲＝☐

답▶ 500×★

풍산자 비법

두 양 사이의 대응 관계를 식으로 나타낼 때
⇨ 각 양을 ●, ▲, ■ 등과 같은 기호로 표현할 수 있다.

01 표를 보고 대응 관계로 알맞은 식과 선으로 이어 보시오.

●	1	3	5
▲	5	7	9

●	7	8	9
▲	4	3	2

●	5	10	15
▲	10	20	30

- ▲＋●＝11
- ●＝▲－4
- ▲÷●＝2

02 수현이가 가진 연필의 수는 미정이가 가진 연필 수의 3배입니다. 수현이가 가진 연필 수와 미정이가 가진 연필 수 사이의 대응 관계를 식으로 나타내시오.

03 정육각형의 개수와 변의 개수의 관계를 표로 나타낸 것입니다. 표를 완성하고, 대응 관계를 식으로 나타내시오.

정육각형의 수(개)	1	2	3	4	5
변의 수(개)					

04 ♥와 ◆ 사이의 대응 관계를 식으로 나타내면 ♥＋18＝◆ 입니다. ♥가 16일 때, ◆를 구하시오.

[05-06] 색종이 한 장으로 딱지를 5개 만들 수 있습니다. 물음에 답하시오.

05 딱지의 수를 ●라 하고, 색종이의 수를 ■라 할 때, 대응 관계를 식으로 나타내시오.

06 딱지가 40개 있다면 색종이 몇 장을 사용한 것인지 구하시오.

07 팔찌 1개를 만드는 데에 유리구슬 18개가 필요합니다. 팔찌의 수와 유리구슬의 수 사이의 대응 관계를 식으로 나타내고, 팔찌를 8개 만들기 위해 유리구슬 몇 개가 필요한지 구하시오.

[08-10] 민후가 한 문제에 4점인 수학 문제를 풀고 있습니다. 물음에 답하시오.

문제 수(개)	1	2	3	4	5
점수(점)					

08 표를 완성하시오.

09 문제 수와 점수 사이의 대응 관계를 식으로 나타내시오.

10 민후가 92점을 맞으려면 총 몇 문제를 맞추어야 하는지 구하시오.

11 1분에 15 m씩 움직이는 달팽이가 있습니다. 달팽이가 움직인 시간과 거리와의 대응 관계를 식으로 나타내시오.

[12-13] 성냥개비로 다음과 같이 삼각형을 만들어 가고 있습니다. 물음에 답하시오.

......

12 표를 완성하시오.

삼각형의 수(개)	1	2	3	4	5
성냥개비의 수(개)	3	5			

13 성냥개비 51개로 만들 수 있는 삼각형은 모두 몇 개인지 구하시오.

[14-15] 다음과 같이 정사각형의 모양으로 바둑돌을 놓았습니다. 물음에 답하시오.

단계	1	2	3	4	5	6
검은색 바둑돌의 수(개)	2	3			6	
전체 바둑돌의 수(개)	4	8		16		

14 단계와 검은색 바둑돌의 수 사이의 대응 관계를 식으로 나타내시오.

15 단계와 전체 바둑돌의 수 사이의 대응 관계를 식으로 나타내시오.

[16-17] 도로 한쪽에 5 m 간격으로 나무를 심으려고 합니다. 도로의 처음과 끝에도 나무를 심습니다. 물음에 답하시오.

5 m

나무 수(그루)	1	2	3	4	5
나무 사이의 간격 수(개)					

16 나무 수와 나무 사이의 간격 수의 대응 관계를 식으로 나타내시오.

17 나무를 10그루 심었다면 도로는 모두 몇 m인지 구하시오.

[18-21] 어느 마트에서 참외 7개를 한 봉지에 담아 5000원에 팔고 있습니다. 물음에 답하시오.

봉지 수(개)	1	2	3	4	5	6
참외 수(개)	7	14				
가격 (원)	5000	10000				

18 표를 완성하시오.

19 봉지 수와 참외 수 사이의 대응 관계를 식으로 나타내시오.

20 봉지 수와 가격 사이의 대응 관계를 식으로 나타내시오.

21 참외 9봉지를 구매할 때 참외는 모두 몇 개이고 가격은 얼마인지 구하시오.

도형에서 규칙과 대응 알아보기

지금까지 우리는 규칙과 대응을 배웠습니다.

그렇다면 이 규칙과 대응을 도형을 통해 알아볼까요?

블록쌓기를 통해 어떻게 대응을 이해할 수 있는지 살펴 봅시다.

▲, ■, ♣ 사이의 대응 관계가 다음과 같은 표가 있습니다.

▲	1	2	3	4	5	6
■	1	3	5	7	9	11
♣	1	4	9	16	25	36

대응 관계를 블록으로 나타내 볼까요?

[1] ▲와 ■ 사이의 대응 관계를 식으로 나타내시오.

[2] ▲와 ♣ 사이의 대응 관계를 식으로 나타내시오.

[3] 그림과 같은 블록쌓기는 ▲와 ■ 사이의 대응 관계를 나타내는 것인지 또는 ▲와 ♣ 사이의 대응 관계를 나타내는 것인지 말하시오.

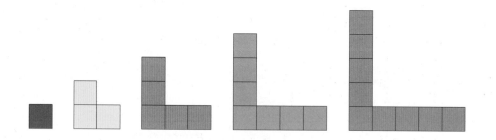

[4] 그림과 같은 블록쌓기는 ▲와 ■ 사이의 대응 관계를 나타내는 것인지 또는 ▲와 ♣ 사이의 대응 관계를 나타내는 것인지 말하시오.

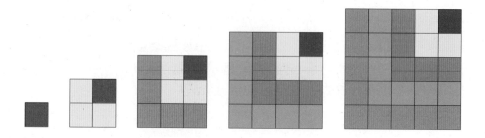

4

약분과 통분

09 크기가 같은 분수

우리는 [수학 3-1] 6단원 분수와 소수에서 주어진 분수만큼 색칠해 보는 활동을 통하여 분수에 대하여 알아보았습니다. $\frac{1}{2}$, $\frac{2}{4}$, $\frac{4}{8}$ 를 색칠해 보면 오른쪽과 같습니다.

$\frac{1}{2}$, $\frac{2}{4}$, $\frac{4}{8}$

그렇다면 세 분수 $\frac{1}{2}$, $\frac{2}{4}$, $\frac{4}{8}$ 의 크기를 비교해 보면 어떤 분수가 클까요?

위의 그림에서 보는 것과 같이 $\frac{1}{2}$, $\frac{2}{4}$, $\frac{4}{8}$ 는 분모, 분자는 달라도 그림으로 나타냈을 때 나타내는 양은 같습니다. 이와 같이 그림으로 나타냈을 때 같은 양을 나타내는 분수를 크기가 같은 분수라고 합니다. 크기가 같은 분수는 다음과 같이 두 가지 방법으로 만들 수 있습니다.

> [방법 1] 분모와 분자에 0이 아닌 같은 수를 곱하여 크기가 같은 분수 만들기
> [방법 2] 분모와 분자를 0이 아닌 같은 수로 나누어 크기가 같은 분수 만들기

분모와 분자를 0이 아닌 같은 수로 나눌 때
⇨ 분모와 분자가 모두 나누어떨어져야 하므로 분모와 분자의 공약수로 나누기

여기서 $\frac{1}{4} = \frac{2}{8} = \frac{3}{12}$ 과 $\frac{3}{12} = \frac{1}{4}$ 이 어떻게 성립하는지 그림을 통해서도 알아봅시다. □ 안에 알맞은 수를 써넣으시오.

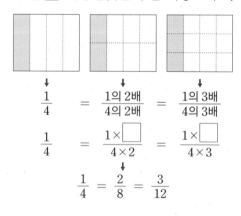

$$\frac{1}{4} = \frac{1의\ 2배}{4의\ 2배} = \frac{1의\ 3배}{4의\ 3배}$$

$$\frac{1}{4} = \frac{1\times\square}{4\times 2} = \frac{1\times\square}{4\times 3}$$

$$\frac{1}{4} = \frac{2}{8} = \frac{3}{12}$$

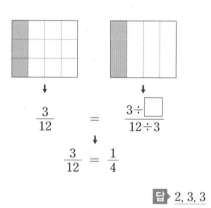

$$\frac{3}{12} = \frac{3\div\square}{12\div 3}$$

$$\frac{3}{12} = \frac{1}{4}$$

답 2, 3, 3

풍산자 비법

❶ 분모와 분자에 0이 아닌 같은 수를 곱하여 크기가 같은 분수를 만들 수 있다.

$$\frac{\triangle}{\blacksquare} = \frac{\triangle\times\bigstar}{\blacksquare\times\bigstar}$$

❷ 분모와 분자를 0이 아닌 같은 수로 나누어 크기가 같은 분수를 만들 수 있다.

$$\frac{\triangle}{\blacksquare} = \frac{\triangle\div\bullet}{\blacksquare\div\bullet}$$

01 분수만큼 색칠하고 알맞은 말에 ○표 하시오.

20의 $\frac{2}{5}$

20의 $\frac{4}{10}$

두 분수의 크기는 (같습니다/다릅니다).

02 분수만큼 색칠하고 크기가 같은 분수를 찾으시오.

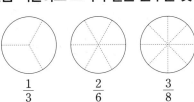

$\frac{1}{3}$ $\frac{2}{6}$ $\frac{3}{8}$

03 □ 안에 알맞은 수를 써넣으시오.

(1) $\frac{4}{7} = \frac{\square}{35}$

(2) $\frac{9}{14} = \frac{\square}{84}$

(3) $\frac{25}{40} = \frac{\square}{8}$

(4) $\frac{15}{36} = \frac{\square}{12}$

04 $\frac{7}{35}$ 과 크기가 같은 분수의 기호를 모두 쓰시오.

㉠ $\frac{1}{6}$ ㉡ $\frac{1}{5}$ ㉢ $\frac{14}{70}$

㉣ $\frac{4}{18}$ ㉤ $\frac{21}{105}$

05 나머지 넷과 크기가 다른 하나를 찾아 기호를 쓰시오.

㉠ $\frac{4}{7}$ ㉡ $\frac{12}{21}$ ㉢ $\frac{6}{14}$

㉣ $\frac{16}{28}$ ㉤ $\frac{32}{56}$

06 크기가 같은 분수끼리 선으로 이어 보시오.

$\frac{4}{30}$ •　　　　• $\frac{2}{3}$

$\frac{6}{20}$ •　　　　• $\frac{3}{10}$

$\frac{8}{12}$ •　　　　• $\frac{2}{15}$

07 크기가 다른 분수에 모두 ○표 하시오.

| $\frac{5}{8}$, $\frac{20}{24}$ | $\frac{4}{7}$, $\frac{16}{35}$ | $\frac{1}{11}$, $\frac{2}{22}$ |

(　　) 　 (　　) 　 (　　)

08 □ 안에 알맞은 수를 써넣으시오.

$$\frac{30}{48} = \frac{\square}{8} = \frac{10}{\square} = \frac{\square}{96}$$

09 $\frac{18}{30}$의 분자와 분모를 0이 아닌 같은 수로 곱하거나 나누었을 때 분모가 10보다 크고 100보다 작은 분수는 몇 개인지 구하시오.

10 □ 안에 들어갈 수 있는 수를 구하시오.

$\frac{3}{4}$은 $\frac{1}{48}$이 □개 모인 수입니다.

11 크기가 같은 분수를 바르게 만든 것을 찾아 기호를 모두 쓰시오.

ㄱ $\frac{2}{6} = \frac{2 \div 2}{6 \div 2}$ ㄴ $\frac{2}{6} = \frac{2+2}{6+2}$

ㄷ $\frac{2}{6} = \frac{2-2}{6-2}$ ㄹ $\frac{2}{6} = \frac{2 \times 2}{6 \times 2}$

12 $\frac{48}{72}$과 크기가 같은 분수의 기호를 모두 쓰시오.

ㄱ $\frac{1}{3}$ ㄴ $\frac{6}{9}$ ㄷ $\frac{96}{144}$ ㄹ $\frac{15}{24}$ ㅁ $\frac{8}{12}$

13 $\frac{2}{9}$와 크기가 같은 분수를 분모가 가장 작은 수부터 5개 구하시오.

14 $\frac{68}{100}$과 크기가 같은 분수 중 분자가 17인 분수를 구하시오.

15 ㄱ+ㄴ×ㄷ을 계산하시오.

$$\frac{ㄱ}{4} = \frac{6}{8} = \frac{ㄴ}{12} = \frac{36}{ㄷ}$$

16 $\dfrac{9}{12}$ 의 분자와 분모를 0이 아닌 같은 수로 곱하거나 나누어 분모가 작은 순서대로 썼을 때 5번째에 오는 분수를 구하시오. (단, $\dfrac{9}{12}$ 도 순서에 포함합니다.)

17 $\dfrac{5}{16}$ 와 크기가 같은 분수 중에서 분모가 두 자리수인 분수는 모두 몇 개인지 구하시오.

18 두 조건에 맞는 분수 중 분모가 가장 큰 분수를 구하시오.

> ㉠ $\dfrac{1}{6}$ 과 크기가 같은 분수입니다.
> ㉡ 분모는 50보다 작습니다.

19 $\dfrac{2}{5}$ 와 크기가 같은 분수 중에서 분모가 40인 분수를 쓰시오.

20 두 조건에 맞는 분수를 구하시오.

> ㉠ $\dfrac{7}{9}$ 과 크기가 같은 분수입니다.
> ㉡ 분모와 분자의 합이 64입니다.

21 $\dfrac{13}{17}$ 의 분모에 ㉠을 더하고, 분자에 ㉡을 더했더니 $\dfrac{4}{5}$ 와 크기가 같은 분수가 되었습니다. ㉠+㉡은 얼마인지 구하시오. (㉠과 ㉡은 10이하의 서로 다른 자연수입니다.)

10 약분, 통분

우리는 앞 단원에서 분모와 분자를 0이 아닌 같은 수로 나누어 크기가 같은 분수를 만드는 방법을 알아보았습니다.

이때 $\dfrac{8}{32} = \dfrac{4}{16}$, $\dfrac{8}{32} = \dfrac{2}{8}$, $\dfrac{8}{32} = \dfrac{1}{4}$ 과 같이 분수를 분모와 분자의 공약수로 나누어 간단히 하는 것을 **약분한다**고 하고, 분모와 분자의 최대공약수로 나누어 분모와 분자의 공약수가 1뿐인 분수를 **기약분수**라고 합니다.

또한, $\dfrac{5}{6}$와 $\dfrac{8}{9}$을 $\dfrac{15}{18}$와 $\dfrac{16}{18}$과 같이 분수의 분모를 같게 하는 것을 **통분한다**고 하고, 통분한 분모를 **공통분모**라고 합니다. 통분은 다음과 같이 두 가지 방법으로 할 수 있습니다.

[방법 1] 두 분모의 곱을 공통분모로 하는 통분

$$\left(\dfrac{5}{6}, \dfrac{8}{9}\right) \Rightarrow \left(\dfrac{5\times9}{6\times9}, \dfrac{8\times6}{9\times6}\right) \Rightarrow \left(\dfrac{45}{54}, \dfrac{48}{54}\right)$$

[방법 2] 두 분모의 최소공배수를 공통분모로 하는 통분 (6과 9의 최소공배수는 18)

$$\left(\dfrac{5}{6}, \dfrac{8}{9}\right) \Rightarrow \left(\dfrac{5\times3}{6\times3}, \dfrac{8\times2}{9\times2}\right) \Rightarrow \left(\dfrac{15}{18}, \dfrac{16}{18}\right)$$

여기서 약분과 통분이 어떻게 계산되는지 그림을 통해서도 알아봅시다. □ 안에 알맞은 수를 써넣으시오.

검은색 띠에서 $\dfrac{4}{12}$와 같은 크기의 분수를 파란색 띠와 주황색 띠에서 찾으면 $\dfrac{\boxed{}}{6}$, $\dfrac{\boxed{}}{3}$ 입니다.

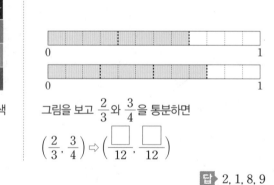

그림을 보고 $\dfrac{2}{3}$와 $\dfrac{3}{4}$을 통분하면

$$\left(\dfrac{2}{3}, \dfrac{3}{4}\right) \Rightarrow \left(\dfrac{\boxed{}}{12}, \dfrac{\boxed{}}{12}\right)$$

답 2, 1, 8, 9

우측 여백:

$$\dfrac{8}{32} = \dfrac{8\div2}{32\div2} = \dfrac{8\div4}{32\div4}$$
$$= \dfrac{8\div8}{32\div8}$$
$$\Rightarrow \dfrac{8}{32} = \dfrac{4}{16} = \dfrac{2}{8} = \dfrac{1}{4}$$

약분
⇨ 분모와 분자의 공약수 중 1을 제외한 나머지 수로 분모와 분자를 나누기

$\dfrac{8}{24}$을 약분 ⇨ $\dfrac{4}{12}$, $\dfrac{2}{6}$, $\dfrac{1}{3}$
⇨ 기약분수는 $\dfrac{1}{3}$

분모가 작을 때
⇨ 두 분모의 곱을 공통분모로 하여 통분하면 편리

분모가 클 때
⇨ 두 분모의 최소공배수를 공통분모로 하여 통분하면 편리

공통분모가 될 수 있는 수
⇨ 분모의 공배수

풍산자 비법

❶ 약분 ⇨ 분자와 분모의 공약수로 분자와 분모를 나눈다.

❷ 통분 ⇨ 두 분모의 곱 또는 두 분모의 최소공배수를 공통분모로 한다.

01 $\dfrac{21}{63}$ 을 기약분수로 나타내려고 합니다. ☐ 안에 알맞은 수를 써넣으시오.

> 21과 63의 최대공약수: ☐
>
> $\dfrac{21}{63} = \dfrac{21 \div ☐}{63 \div ☐} = \dfrac{1}{☐}$

02 $\dfrac{36}{72}$ 을 약분하려고 합니다. 분모와 분자를 나눌 수 없는 수의 기호를 모두 쓰시오.

> ㉠ 4   ㉡ 5   ㉢ 8
>
> ㉣ 9   ㉤ 12

03 최대공약수를 이용하여 기약분수로 나타내시오.

(1) $\dfrac{20}{28}$ (2) $\dfrac{15}{33}$

(3) $\dfrac{16}{40}$ (4) $\dfrac{18}{54}$

(5) $\dfrac{45}{60}$

04 주어진 공통분모로 통분하시오.

(1) $\left(\dfrac{8}{15}, \dfrac{7}{30} \right) = \left(\dfrac{☐}{60}, \dfrac{☐}{60} \right)$

(2) $\left(\dfrac{3}{14}, \dfrac{6}{21} \right) = \left(\dfrac{☐}{42}, \dfrac{☐}{42} \right)$

05 다음 중 기약분수를 모두 찾아 ○표 하시오.

> $\dfrac{2}{8}$ $\dfrac{3}{17}$ $\dfrac{1}{11}$

(   )   (   )   (   )

06 두 분수를 통분한 것을 찾아 선으로 이어 보시오.

$\left(\dfrac{4}{9}, \dfrac{1}{3} \right)$ •   • $\left(\dfrac{4}{24}, \dfrac{15}{24} \right)$

$\left(\dfrac{3}{4}, \dfrac{2}{7} \right)$ •   • $\left(\dfrac{21}{28}, \dfrac{8}{28} \right)$

$\left(\dfrac{1}{6}, \dfrac{5}{8} \right)$ •   • $\left(\dfrac{4}{9}, \dfrac{3}{9} \right)$

07 $\dfrac{3}{16}$ 과 $\dfrac{5}{12}$ 를 통분하려고 합니다. 공통분모가 될 수 있는 수의 기호를 모두 쓰시오.

> ㉠ 48   ㉡ 60   ㉢ 72
>
> ㉣ 84   ㉤ 96

08 두 분모의 곱을 이용하여 통분하시오.

(1) $\left(\dfrac{8}{9}, \dfrac{3}{4} \right)$

(2) $\left(\dfrac{3}{7}, \dfrac{4}{5} \right)$

(3) $\left(\dfrac{5}{6}, \dfrac{7}{8} \right)$

(4) $\left(\dfrac{5}{16}, \dfrac{1}{3} \right)$

09 기약분수를 모두 고르시오.

ㄱ $\dfrac{14}{24}$ ㄴ $\dfrac{8}{15}$ ㄷ $\dfrac{10}{32}$

ㄹ $\dfrac{16}{35}$ ㅁ $\dfrac{2}{11}$

10 두 분모의 최소공배수를 이용하여 통분하시오.

(1) $\left(\dfrac{5}{6}, \dfrac{4}{5} \right)$

(2) $\left(\dfrac{9}{12}, \dfrac{7}{16} \right)$

(3) $\left(\dfrac{5}{8}, \dfrac{7}{12} \right)$

(4) $\left(\dfrac{11}{24}, \dfrac{9}{36} \right)$

11 두 기약분수를 통분하였더니 다음과 같았습니다. 통분하기 전의 두 기약분수를 구하시오.

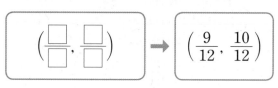

12 기약분수로 나타냈을 때, 분모가 같은 것끼리 선으로 이어보시오.

$\dfrac{9}{12}$ ·   · $\dfrac{12}{27}$

$\dfrac{10}{45}$ ·   · $\dfrac{8}{28}$

$\dfrac{9}{21}$ ·   · $\dfrac{5}{20}$

13 기약분수로 나타냈을 때 분자가 가장 큰 분수에 ○표 하시오.

$\dfrac{12}{28}$ $\dfrac{15}{18}$ $\dfrac{32}{40}$

(   ) (   ) (   )

14 $\dfrac{7}{12}$ 과 $\dfrac{3}{28}$ 을 통분하려고 합니다. 공통분모가 될 수 있는 수를 3개 구하시오.

15 두 조건에 맞는 분수를 구하시오.

> ㉠ 기약분수로 나타내면 $\dfrac{3}{5}$ 입니다.
>
> ㉡ 분모와 분자의 합이 56입니다.

16 $\dfrac{5}{9}$ 와 $\dfrac{4}{5}$ 를 통분하려고 합니다. 공통분모가 될 수 있는 수 중 세 번째로 작은 수로 통분하시오.

17 $\dfrac{1}{18}$, $\dfrac{2}{18}$, $\dfrac{3}{18}$ ......, $\dfrac{17}{18}$ 중 기약분수는 모두 몇 개인지 구하시오.

18 $\dfrac{5}{12}$ 와 $\dfrac{5}{9}$ 사이의 분수 중 분모가 36인 분수를 모두 구하시오.

19 진분수 $\dfrac{\square}{15}$ 가 기약분수라고 할 때 □ 안에 들어갈 수 있는 수를 모두 구하시오.

20 분모가 84인 진분수 중에서 약분하면 $\dfrac{2}{7}$ 가 되는 것을 구하시오.

11 분수와 소수의 크기 비교

우리는 [수학 3-1] 6단원 분수와 소수에서 분모가 같은 분수의 크기를 비교하는 방법을 알아보았습니다. 분모가 같은 분수는 분자가 크면 더 큽니다. 즉, $\dfrac{7}{11} > \dfrac{5}{11}$ 입니다.

그렇다면 $\dfrac{8}{9}$과 $\dfrac{7}{12}$과 같이 분모가 다른 두 분수의 크기 비교나 $\dfrac{3}{5}$과 0.8과 같이 분수와 소수의 크기 비교는 어떻게 할까요?

$\dfrac{8}{9}$과 $\dfrac{7}{12}$과 같이 분모가 다른 분수는 통분하여 분모를 같게 한 후 분자의 크기를 비교합니다. 또한, $\dfrac{3}{5}$와 0.8과 같이 분수와 소수의 크기 비교는 분수를 소수로 나타내어 소수끼리 비교하거나 소수를 분수로 나타내어 분수끼리 비교합니다.

> 분모가 다른 세 분수
> ⇨ 두 분수씩 통분하여 크기 비교
>
> 분모를 10, 100, 1000⋯⋯으로 바꿀 수 있을 때
> ⇨ 분수를 소수로 나타내어 크기 비교

- $\dfrac{8}{9}$과 $\dfrac{7}{12}$의 크기 비교

$$\left(\dfrac{8}{9},\ \dfrac{7}{12}\right) \Rightarrow \left(\dfrac{8\times4}{9\times4},\ \dfrac{7\times3}{12\times3}\right) \Rightarrow \left(\dfrac{32}{36},\ \dfrac{21}{36}\right) \Rightarrow \dfrac{8}{9} > \dfrac{7}{12}$$

- $\dfrac{3}{5}$와 0.8의 크기 비교

$$\Rightarrow \dfrac{3}{5} = \dfrac{6}{10} = 0.6 \text{이므로 } \dfrac{3}{5} < 0.8 \text{ 또는 } \dfrac{3}{5} = \dfrac{6}{10} \text{이고 } 0.8 = \dfrac{8}{10} \text{이므로 } \dfrac{3}{5} < 0.8$$

여기서 세 분수 $\dfrac{3}{4}$, $\dfrac{5}{6}$, $\dfrac{2}{3}$의 크기 비교를 그림을 통해 알아봅시다. ☐ 안에 알맞은 수를 써넣으시오.

세 분수의 크기를 그림으로 나타내면 위와 같으므로 크기가 큰 수부터 차례대로 ☐, ☐, ☐ 입니다.

답 $\dfrac{5}{6}$, $\dfrac{3}{4}$, $\dfrac{2}{3}$

풍산자 비법

❶ 분모가 다른 분수의 크기 비교 ⇨ 통분한 후 분자를 비교한다.

❷ 분수와 소수의 크기 비교 ⇨ 분수를 소수로 나타내어 소수끼리 비교하거나 소수를 분수로 나타내어 분수끼리 비교한다.

01 두 분수의 크기를 비교하여 ○ 안에 >, =, < 를 알맞게 써넣으시오.

(1) $\dfrac{7}{12}$ ○ $\dfrac{5}{8}$

(2) $\dfrac{17}{18}$ ○ $\dfrac{19}{20}$

(3) $\dfrac{9}{11}$ ○ $\dfrac{13}{15}$

02 분수를 소수로 나타내어 두 수의 크기를 비교하시오.

$$\dfrac{3}{8} \bigcirc 0.5$$

03 세 분수 $\dfrac{2}{15}$, $\dfrac{3}{5}$, $\dfrac{9}{20}$ 의 크기를 비교한 뒤 큰 수부터 차례대로 쓰시오.

$\left(\dfrac{2}{15}, \dfrac{3}{5}\right) \Rightarrow \left(\dfrac{2}{15}, \dfrac{\square}{15}\right) \Rightarrow \dfrac{2}{15} \bigcirc \dfrac{3}{5}$

$\left(\dfrac{3}{5}, \dfrac{9}{20}\right) \Rightarrow \left(\dfrac{\square}{20}, \dfrac{9}{20}\right) \Rightarrow \dfrac{3}{5} \bigcirc \dfrac{9}{20}$

$\left(\dfrac{2}{15}, \dfrac{9}{20}\right) \Rightarrow \left(\dfrac{\square}{60}, \dfrac{\square}{60}\right) \Rightarrow \dfrac{2}{15} \bigcirc \dfrac{9}{20}$

04 가장 큰 수와 가장 작은 수를 차례대로 쓰시오.

| ㉠ $\dfrac{2}{3}$ | ㉡ 0.5 | ㉢ $\dfrac{1}{6}$ |

05 □ 안에 들어갈 자연수를 모두 구하시오.

(1) $\dfrac{7}{32} < \dfrac{\square}{8} < \dfrac{9}{16}$

(2) $\dfrac{3}{20} < \dfrac{4}{\square} < \dfrac{6}{35}$

06 □ 안에 들어갈 자연수를 모두 구하시오.

$$\dfrac{\square}{5} < 0.72$$

07 오늘 연습한 운동 종목과 시간을 나타낸 표입니다. 더 많이 운동한 종목과 시간을 빈 곳에 쓰시오.

수영 $\dfrac{4}{5}$ 시간	
농구 $\dfrac{7}{8}$ 시간	

교과서 + 익힘책 응용 유형

08 세 분수를 크기가 큰 것부터 차례대로 쓰시오.

$$\frac{3}{8}, \ \frac{4}{7}, \ \frac{5}{14}$$

09 집에서 학교까지는 $\frac{3}{4}$ km이고, 집에서 놀이터까지는 $\frac{5}{7}$ km일 때, 집에서 더 가까운 곳은 어디인지 구하시오.

10 A, B, C 세 사람이 블루베리를 땄습니다. A는 $\frac{1}{2}$ kg, B는 0.86 kg, C는 $\frac{3}{4}$ kg을 땄을 때, 가장 많이 딴 사람과 가장 적게 딴 사람을 차례대로 쓰시오.

11 □ 안에 알맞은 자연수 중 가장 작은 수를 구하시오.

$$\frac{11}{16} < \frac{\square}{18}$$

12 두 분수의 크기를 비교하여 더 큰 분수를 위의 □ 안에 써넣으시오.

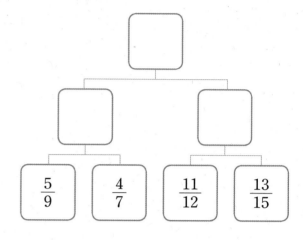

13 크기 비교가 바르게 된 것의 기호를 쓰시오.

$$\text{㉠ } \frac{2}{7} < \frac{7}{10} \qquad \text{㉡ } \frac{17}{20} < \frac{16}{25}$$
$$\text{㉢ } \frac{7}{15} > 0.48$$

14 배 상자는 $\frac{3}{5}$ kg이고, 사과 상자는 $\frac{5}{6}$ kg입니다. 배 상자와 사과 상자 중 어느 것이 더 무거운지 구하시오.

15 □ 안에 알맞은 자연수들의 합을 구하시오.

$$\frac{1}{4} < \frac{\boxed{}}{12} < \frac{5}{8}$$

16 두 번째로 큰 수를 구하시오.

$$\frac{4}{7} \qquad \frac{2}{3} \qquad \frac{9}{14} \qquad 0.6$$

17 밀가루가 빵을 만드는데 $\frac{9}{14}$ kg, 수제비를 만드는데 0.62 kg, 케익을 만드는데 $\frac{5}{8}$ kg이 사용됩니다. 밀가루가 가장 많이 사용되는 것은 빵, 수제비, 케익 중 무엇인지 구하시오.

18 세 학생이 달리기 시합을 하였습니다. 달린 시간이 다음과 같을 때 1등한 사람을 구하시오.

지수	환희	찬우
$\frac{5}{12}$ 분	$\frac{15}{60}$ 분	$\frac{9}{20}$ 분

19 냉장고에 주스가 $\frac{2}{5}$ L, 우유가 0.85 L, 물이 $\frac{1}{2}$ L 있습니다. 주스, 우유, 물 중 가장 많이 있는 것을 구하시오.

20 수 카드가 4장 있습니다. 이 중 2장을 뽑아 진분수를 만들려고 합니다. 만들 수 있는 진분수 중 가장 큰 분수와 가장 작은 분수를 차례대로 쓰시오.

지금까지 우리는 약분과 통분을 배웠습니다.

특히, 분수와 소수의 크기 비교에서 분수를 소수로 나타내어 소수끼리 비교하는 방법을 알아보았습니다.

그렇다면 소수로 나타낼 수 있는 분수에는 어떤 특징이 있을까요?

소수로 나타낼 수 있는 분수는 무엇이 있을까요?

소수로 나타내기 위해서는 분모를 10, 100, 1000…… 꼴로 바꿔야 합니다.

그러기 위해서는 기약분수의 분모가 2나 5의 곱으로 나타낼 수 있어야 합니다.

즉, 분자와는 상관이 없습니다.

따라서 분모가 2나 5의 곱으로 만들어진 기약분수는 소수로 표현할 수 있습니다.

예를 들어, $\frac{1}{3}$과 같은 경우는 분모가 2나 5가 아닌 3이므로 소수로 표현할 수 없습니다.

$\frac{1}{20}$과 같은 경우는 분모가 $2 \times 2 \times 5$이기 때문에 소수로 나타낼 수 있습니다.

즉, $\frac{1}{20} = \frac{1 \times 5}{20 \times 5} = \frac{5}{100} = 0.05$입니다.

문제를 통해 알아볼까요?

소수가 될 수 있는 분수는 ○표, 소수가 될 수 없는 분수는 ×표 하시오.

[1] $\frac{3}{24}$ (   )   [2] $\frac{4}{17}$ (   )

[3] $\frac{2}{5}$ (   )   [4] $\frac{3}{4}$ (   )

[5] $\frac{7}{6}$ (   )   [6] $\frac{2}{9}$ (   )

[7] $\frac{3}{10}$ (   )   [8] $\frac{6}{11}$ (   )

5

:::

분수의 덧셈과 뺄셈

12 분수의 덧셈 (1)

우리는 [수학 4-2] 1단원 분수의 덧셈과 뺄셈에서 분모가 같은 진분수와 대분수의 덧셈 방법을 알아보았습니다. 분모가 같은 분수의 덧셈은 다음과 같이 계산하였습니다.

$$\frac{3}{6}+\frac{4}{6}=\frac{3+4}{6}=\frac{7}{6}=1\frac{1}{6}, \quad 2\frac{2}{3}+3\frac{2}{3}=(2+3)+\left(\frac{2}{3}+\frac{2}{3}\right)=5+1\frac{1}{3}=6\frac{1}{3}$$

그렇다면 $\frac{1}{6}+\frac{3}{10}$, $2\frac{1}{3}+1\frac{2}{5}$와 같이 분모가 다른 진분수와 대분수의 덧셈은 어떻게 계산할까요?

분모가 다른 진분수의 덧셈은 두 분수를 통분하여 분모가 같은 분수로 고친 후, 분자 끼리 더합니다. 또한, 분모가 다른 대분수의 덧셈은 자연수는 자연수끼리, 분수는 분수끼리 더해서 계산하거나 대분수를 가분수로 고쳐서 계산합니다.

- 분모가 다른 진분수의 덧셈: $\frac{1}{6}+\frac{3}{10}=\frac{1\times 10}{6\times 10}+\frac{3\times 6}{10\times 6}=\frac{10}{60}+\frac{18}{60}=\frac{28}{60}=\frac{7}{15}$
- 분모가 다른 대분수의 덧셈: $2\frac{1}{3}+1\frac{2}{5}=2\frac{5}{15}+1\frac{6}{15}$
$$=(2+1)+\left(\frac{5}{15}+\frac{6}{15}\right)=3+\frac{11}{15}=3\frac{11}{15}$$

여기서 $\frac{2}{3}+\frac{1}{4}$이 어떻게 계산되는지 그림을 통해서도 알아봅시다. ☐ 안에 알맞은 수를 써넣으시오.

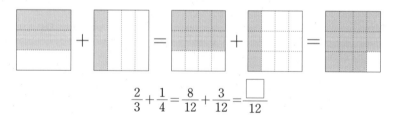

$$\frac{2}{3}+\frac{1}{4}=\frac{8}{12}+\frac{3}{12}=\frac{\boxed{}}{12}$$

답 <u>11</u>

$$2\frac{2}{3}+3\frac{2}{3}=\frac{8}{3}+\frac{11}{3}=\frac{19}{3}$$
$$=6\frac{1}{3}$$

분모의 곱을 이용하여 통분
⇨ 공통분모를 구하기 편리
분모의 최소공배수를 이용하여 통분
⇨ 분자끼리의 덧셈이 편리

$$\frac{1}{6}+\frac{3}{10}=\frac{1\times 5}{6\times 5}+\frac{3\times 3}{10\times 3}$$
$$=\frac{5}{30}+\frac{9}{30}$$
$$=\frac{14}{30}=\frac{7}{15}$$

$$2\frac{1}{3}+1\frac{2}{5}=\frac{7}{3}+\frac{7}{5}$$
$$=\frac{35}{15}+\frac{21}{15}$$
$$=\frac{56}{15}=3\frac{11}{15}$$

풍산자 비법

❶ 분모가 다른 진분수의 덧셈 ⇨ 분모의 곱이나 분모의 최소공배수로 통분하여 계산한다.

❷ 분모가 다른 대분수의 덧셈 ⇨ 자연수는 자연수끼리, 분수는 분수끼리 더해서 계산하거나 대분수를 가분수로 고쳐서 계산한다.

01 다음을 계산하시오.

(1) $\dfrac{3}{8} + \dfrac{2}{9}$

(2) $\dfrac{1}{6} + \dfrac{5}{8}$

(3) $\dfrac{2}{9} + \dfrac{5}{12}$

(4) $\dfrac{3}{14} + \dfrac{4}{21}$

02 다음을 계산하시오.

(1) $2\dfrac{1}{3} + 1\dfrac{1}{8}$

(2) $2\dfrac{5}{9} + 7\dfrac{2}{5}$

(3) $5\dfrac{3}{8} + 3\dfrac{5}{12}$

(4) $2\dfrac{3}{10} + 2\dfrac{2}{7}$

03 값이 같은 것끼리 선으로 이어 보시오.

$\dfrac{3}{8} + \dfrac{2}{7}$ •   • $\dfrac{19}{44}$

$\dfrac{3}{4} + \dfrac{1}{9}$ •   • $\dfrac{31}{36}$

$\dfrac{3}{11} + \dfrac{7}{44}$ •   • $\dfrac{37}{56}$

04 빈 곳에 알맞은 분수를 써넣으시오.

+	$\dfrac{1}{2}$	$\dfrac{2}{3}$	$\dfrac{5}{14}$
$\dfrac{1}{7}$			

05 지연이는 줄넘기를 $\dfrac{1}{16}$ 시간 하였고 희진이는 $\dfrac{7}{8}$ 시간 하였다면, 두 사람이 줄넘기를 연습한 시간은 모두 몇 시간인지 구하시오.

06 계산이 처음 잘못된 곳을 찾고 바르게 계산한 답을 구하시오.

$$\dfrac{2}{5} + \dfrac{1}{6} = \dfrac{2 \times 1}{5 \times 6} + \dfrac{1 \times 1}{6 \times 5} = \dfrac{2}{30} + \dfrac{1}{30}$$
$$= \dfrac{3}{30}$$

07 빈 곳에 알맞은 분수를 써넣으시오.

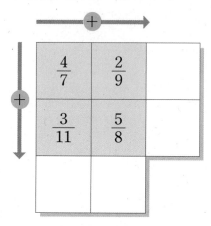

08 계산 결과가 가장 큰 것의 기호를 쓰시오.

$\bigcirc \dfrac{3}{7} + \dfrac{1}{2}$ $\bigcirc \dfrac{5}{28} + \dfrac{9}{14}$

$\bigcirc \dfrac{1}{14} + \dfrac{7}{8}$

09 두 분수의 합을 위의 □ 안에 써넣으시오.

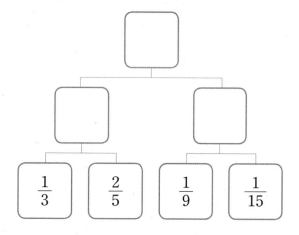

10 두 분모의 최소공배수로 통분하여 계산하였을 때 다음 중 분자의 숫자가 가장 큰 수를 고르시오.

① $\dfrac{2}{3} + \dfrac{1}{8}$ ② $\dfrac{5}{6} + \dfrac{1}{9}$ ③ $\dfrac{4}{5} + \dfrac{1}{7}$

④ $\dfrac{1}{8} + \dfrac{3}{4}$ ⑤ $\dfrac{1}{2} + \dfrac{1}{4}$

11 계산 결과를 비교하여 ○ 안에 >, =, <를 알맞게 써넣으시오.

$$2\dfrac{1}{4} + 3\dfrac{1}{8} \bigcirc 2\dfrac{1}{2} + 3\dfrac{3}{8}$$

12 애리는 밀가루를 $\dfrac{3}{8}$ 컵 준비했고, 동생은 $\dfrac{5}{14}$ 컵 준비했다면, 두 사람의 밀가루는 모두 몇 컵인지 구하시오.

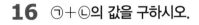

잘 틀리는 유형

13 세 선분의 길이가 각각 $\dfrac{1}{8}$ cm, $\dfrac{2}{3}$ cm, $\dfrac{1}{12}$ cm인 삼각형의 둘레를 구하시오.

14 길이가 $4\dfrac{4}{15}$ cm인 색 테이프 3장을 이어 붙였습니다. 이어 붙인 색 테이프의 길이는 몇 cm인지 구하시오.

15 세 수를 모두 더하시오.

$$\dfrac{1}{6} \qquad \dfrac{2}{5} \qquad \dfrac{5}{12}$$

16 ㉠+㉡의 값을 구하시오.

> ㉠ $\dfrac{1}{12}$ 보다 $\dfrac{2}{3}$ 큰 수

> ㉡ $\dfrac{1}{8}$ 보다 $\dfrac{1}{24}$ 큰 수

17 경아네집은 전기를 $11\dfrac{5}{8}$ kW 사용하였고, 준서네집은 전기를 $8\dfrac{1}{6}$ kW 사용하였다면, 두 집에서 사용한 전기량은 모두 얼마인지 구하시오.

18 ☐ 안에 들어갈 수 있는 진분수는 모두 몇 개인지 구하시오.

$$\dfrac{3}{8}+\dfrac{1}{6}<\boxed{}<\dfrac{5}{12}+\dfrac{7}{24}$$

13 분수의 덧셈 (2)

우리는 앞 단원에서 분모가 다른 진분수와 대분수의 덧셈 방법을 알아보았습니다. 앞 단원에서 배운 덧셈은 받아올림이 없는 덧셈이고, 다음과 같이 계산하였습니다.

$$\cdot \frac{1}{3} + \frac{3}{8} = \frac{8}{24} + \frac{9}{24} = \frac{17}{24} \qquad \cdot 2\frac{1}{4} + 1\frac{1}{5} = (2+1) + \left(\frac{5}{20} + \frac{4}{20}\right) = 3\frac{9}{20}$$

$$2\frac{1}{4} + 1\frac{1}{5} = \frac{9}{4} + \frac{6}{5}$$
$$= \frac{45}{20} + \frac{24}{20}$$
$$= \frac{69}{20} = 3\frac{9}{20}$$

그렇다면 $\frac{3}{8} + \frac{5}{6}$, $2\frac{1}{2} + 3\frac{2}{3}$ 와 같이 받아올림이 있는 분모가 다른 진분수와 대분수의 덧셈은 어떻게 계산할까요?

받아올림이 있는 분수의 덧셈도 받아올림이 없는 분수의 덧셈과 마찬가지로 **분모가 다른 진분수의 덧셈**은 두 분수를 통분하여 분모가 같은 분수로 고친 다음, 분자끼리 더합니다. 또한, 분모가 다른 대분수의 덧셈은 자연수는 자연수끼리, 분수는 분수끼리 더해서 계산하거나 대분수를 가분수로 고쳐서 계산합니다.

- 분모가 다른 진분수의 덧셈
$$\frac{3}{8} + \frac{5}{6} = \frac{3 \times 6}{8 \times 6} + \frac{5 \times 8}{6 \times 8} = \frac{18}{48} + \frac{40}{48} = \frac{58}{48} = 1\frac{10}{48} = 1\frac{5}{24}$$
- 분모가 다른 대분수의 덧셈
$$2\frac{1}{2} + 3\frac{2}{3} = 2\frac{3}{6} + 3\frac{4}{6} = (2+3) + \left(\frac{3}{6} + \frac{4}{6}\right) = 5 + \frac{7}{6} = 5 + 1\frac{1}{6} = 6\frac{1}{6}$$

받아올림이 있는 분수의 덧셈에서 계산 결과가 가분수일 때
⇨ 대분수로 고쳐서 나타내기

$$\frac{3}{8} + \frac{5}{6} = \frac{3 \times 3}{8 \times 3} + \frac{5 \times 4}{6 \times 4}$$
$$= \frac{9}{24} + \frac{20}{24}$$
$$= \frac{29}{24} = 1\frac{5}{24}$$

$$2\frac{1}{2} + 3\frac{2}{3} = \frac{5}{2} + \frac{11}{3}$$
$$= \frac{15}{6} + \frac{22}{6}$$
$$= \frac{37}{6} = 6\frac{1}{6}$$

여기서 $\frac{1}{3} + \frac{5}{6}$ 가 어떻게 계산되는지 그림을 통해서도 알아봅시다. ☐ 안에 알맞은 수를 써넣으시오.

$$\frac{1}{3} + \frac{5}{6} = \frac{2}{6} + \frac{5}{6} = \frac{\boxed{}}{6} = 1\frac{\boxed{}}{6}$$

답 7, 1

풍산자 비법

❶ 받아올림이 있는 분모가 다른 진분수의 덧셈
⇨ 분모의 곱이나 분모의 최소공배수로 통분하여 계산한다.

❷ 받아올림이 있는 분모가 다른 대분수의 덧셈
⇨ 자연수는 자연수끼리, 분수는 분수끼리 더해서 계산하거나 대분수를 가분수로 고쳐서 계산한다.

교과서 + 익힘책 유형

01 다음을 계산하시오.

(1) $\dfrac{5}{9} + \dfrac{5}{6}$

(2) $\dfrac{2}{5} + \dfrac{3}{4}$

(3) $\dfrac{1}{2} + \dfrac{7}{8}$

(4) $\dfrac{3}{7} + \dfrac{7}{10}$

02 다음을 계산하시오.

(1) $1\dfrac{7}{10} + 2\dfrac{3}{4}$

(2) $4\dfrac{9}{11} + 2\dfrac{3}{5}$

(3) $5\dfrac{8}{15} + 4\dfrac{11}{18}$

(4) $3\dfrac{8}{9} + 6\dfrac{7}{12}$

03 빈 곳에 알맞은 수를 써넣으시오.

+	$1\dfrac{7}{16}$	$2\dfrac{5}{6}$
$3\dfrac{7}{8}$		

04 덧셈과 뺄셈의 관계를 이용하여 ☐ 안에 알맞은 수를 써넣으시오.

(1) $\boxed{} - 1\dfrac{5}{7} = 4\dfrac{3}{8}$

(2) $\boxed{} - 2\dfrac{11}{12} = 5\dfrac{4}{9}$

[05-06] 물음에 답하시오.

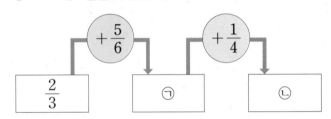

05 ㉠과 ㉡에 알맞은 수를 구하시오.

06 ㉠+㉡의 값을 구하시오.

07 다음 중 가장 큰 수의 기호를 쓰시오.

> ㉠ $1\frac{4}{5} + 3\frac{3}{7}$ ㉡ $2\frac{1}{2} + 2\frac{7}{10}$
>
> ㉢ $2\frac{1}{14} + 1\frac{3}{5}$

08 빈 곳에 알맞은 분수를 써넣으시오.

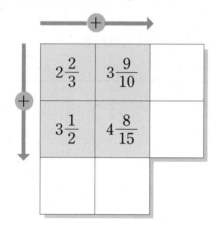

$2\frac{2}{3}$	$3\frac{9}{10}$
$3\frac{1}{2}$	$4\frac{8}{15}$

09 A는 리본을 $6\frac{2}{7}$ m, B는 리본을 $4\frac{4}{5}$ m를 가지고 있습니다. A와 B가 가지고 있는 리본은 모두 몇 m인지 구하시오.

10 계산 결과를 비교하여 ○ 안에 >, =, <를 알맞게 써넣으시오.

> $1\frac{3}{10} + 4\frac{13}{15}$ ○ $2\frac{4}{5} + 3\frac{1}{6}$

11 ★을 다음과 같이 계산할 때 $\frac{7}{12}$ ★ $\frac{3}{5}$ 을 계산하시오.

> 가★나=가+나+가

12 현경이는 물을 $\frac{5}{6}$ L 마셨고, 화룡이는 물을 $\frac{11}{15}$ L 마셨습니다. 두 사람이 마신 물의 양은 모두 몇 L인지 구하시오.

13 숫자 카드를 한 번씩만 사용하여 가장 큰 대분수와 가장 작은 대분수를 만들어 덧셈을 하시오.

2   3   4   5

14 가장 큰 수를 뺀 나머지 두 수의 합을 구하시오.

$$\dfrac{7}{10} \qquad \dfrac{5}{8} \qquad \dfrac{3}{4}$$

15 클레이아트로 팬더 모양을 만들려고 합니다. 흰색 고무찰흙이 $30\dfrac{7}{8}$ g, 검은색 고무찰흙이 $18\dfrac{5}{14}$ g이 사용된다면, 사용된 고무찰흙은 모두 몇 g인지 구하시오.

16 현지 아버지 차에는 휘발유가 $5\dfrac{9}{10}$ L 들어 있습니다. 주유소에서 $30\dfrac{1}{2}$ L를 더 넣으셨다면, 현지 아버지 차에는 몇 L의 휘발유가 들어 있는지 구하시오.

17 물의 증발량을 측정하기 위해 양동이에 물을 가득 받았습니다. 어제는 $5\dfrac{11}{12}$ L 증발하였고 오늘은 $6\dfrac{3}{4}$ L 증발하였다면, 어제와 오늘 증발한 물의 양은 몇 L인지 구하시오.

18 ☐ 안에 들어갈 수 있는 자연수를 모두 구하시오.

$$2\dfrac{5}{8} + 3\dfrac{4}{5} < \boxed{} < 10$$

14 분수의 뺄셈 (1)

우리는 [수학 4-2] 1단원 분수의 덧셈과 뺄셈에서 $\dfrac{5}{6} - \dfrac{3}{6}$, $4\dfrac{4}{5} - 2\dfrac{2}{5}$와 같이 분모가 같은 진분수와 대분수의 뺄셈 방법을 알아보았습니다. 분모가 같은 분수의 뺄셈은 다음과 같이 계산하였습니다.

$$\dfrac{5}{6} - \dfrac{3}{6} = \dfrac{5-3}{6} = \dfrac{2}{6} = \dfrac{1}{3}, \qquad 4\dfrac{4}{5} - 2\dfrac{2}{5} = (4-2) + \left(\dfrac{4}{5} - \dfrac{2}{5}\right) = 2 + \dfrac{2}{5} = 2\dfrac{2}{5}$$

$$4\dfrac{4}{5} - 2\dfrac{2}{5} = \dfrac{24}{5} - \dfrac{12}{5}$$
$$= \dfrac{12}{5} = 2\dfrac{2}{5}$$

그렇다면 $\dfrac{1}{4} - \dfrac{1}{6}$, $2\dfrac{3}{4} - 1\dfrac{1}{6}$과 같이 분모가 다른 진분수와 대분수의 뺄셈은 어떻게 계산할까요?

분모가 다른 진분수의 뺄셈은 두 분수를 통분하여 분모가 같은 분수로 고친 다음, 분자끼리 뺍니다. 또한, 분모가 다른 대분수의 뺄셈은 자연수는 자연수끼리, 분수는 분수끼리 빼서 계산하거나 대분수를 가분수로 고쳐서 계산합니다.

- 분모가 다른 진분수의 뺄셈

$$\dfrac{1}{4} - \dfrac{1}{6} = \dfrac{1 \times 6}{4 \times 6} - \dfrac{1 \times 4}{6 \times 4} = \dfrac{6}{24} - \dfrac{4}{24} = \dfrac{2}{24} = \dfrac{1}{12}$$

- 분모가 다른 대분수의 뺄셈

$$2\dfrac{3}{4} - 1\dfrac{1}{6} = 2\dfrac{9}{12} - 1\dfrac{2}{12} = (2-1) + \left(\dfrac{9}{12} - \dfrac{2}{12}\right) = 1 + \dfrac{7}{12} = 1\dfrac{7}{12}$$

$$\dfrac{1}{4} - \dfrac{1}{6} = \dfrac{1 \times 3}{4 \times 3} - \dfrac{1 \times 2}{6 \times 2}$$
$$= \dfrac{3}{12} - \dfrac{2}{12} = \dfrac{1}{12}$$
$$2\dfrac{3}{4} - 1\dfrac{1}{6} = \dfrac{11}{4} - \dfrac{7}{6}$$
$$= \dfrac{33}{12} - \dfrac{14}{12}$$
$$= \dfrac{19}{12} = 1\dfrac{7}{12}$$

여기서 $\dfrac{1}{4} - \dfrac{1}{6}$이 어떻게 계산되는지 그림을 통해서도 알아봅시다. ☐ 안에 알맞은 수를 써넣으시오.

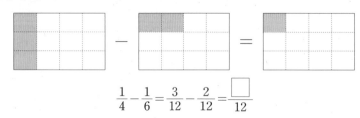

$$\dfrac{1}{4} - \dfrac{1}{6} = \dfrac{3}{12} - \dfrac{2}{12} = \dfrac{\square}{12}$$

답 1

풍산자 비법

❶ 분모가 다른 진분수의 뺄셈 ⇨ 분모의 곱이나 분모의 최소공배수로 통분하여 계산한다.

❷ 분모가 다른 대분수의 뺄셈 ⇨ 자연수는 자연수끼리, 분수는 분수끼리 빼서 계산하거나 대분수를 가분수로 고쳐서 계산한다.

교과서 + 익힘책 유형

01 그림에 색칠을 하여 $\dfrac{4}{5}-\dfrac{2}{3}$ 를 나타내고 □ 안에 알맞은 수를 써넣으시오.

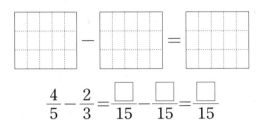

$$\dfrac{4}{5}-\dfrac{2}{3}=\dfrac{\square}{15}-\dfrac{\square}{15}=\dfrac{\square}{15}$$

02 다음을 계산하시오.

(1) $\dfrac{3}{5}-\dfrac{2}{7}$

(2) $\dfrac{1}{2}-\dfrac{5}{12}$

03 빈 곳에 알맞은 수를 써넣으시오.

(1)

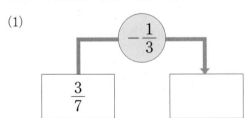

(2)

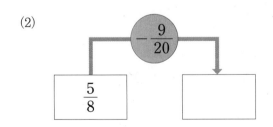

04 □ 안에 알맞은 수를 써넣으시오.

$$2\dfrac{1}{2}-1\dfrac{1}{3}=2\dfrac{\square}{6}-1\dfrac{\square}{6}$$
$$=(2-1)+\left(\dfrac{\square}{6}-\dfrac{\square}{6}\right)$$
$$=\boxed{}$$

05 다음을 만족하는 수를 구하시오.

$2\dfrac{3}{5}$ 보다 $1\dfrac{1}{4}$ 작은 수

06 빈 곳에 알맞은 수를 써넣으시오.

(1)

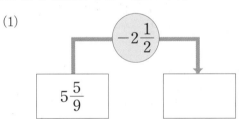

(2)

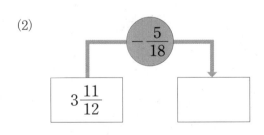

07 상자를 포장하는 데 민우는 끈을 $\frac{8}{9}$ m 사용하였고, 연희는 끈을 $\frac{2}{3}$ m 사용하였습니다. 민우는 연희보다 끈을 몇 m 더 많이 사용하는지 구하시오.

08 빈 곳에 알맞은 수를 써넣으시오.

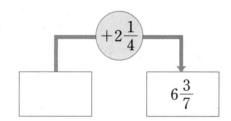

09 직사각형의 가로는 $2\frac{3}{4}$ m이고 세로는 $1\frac{1}{7}$ m입니다. 직사각형의 가로와 세로의 차는 몇 m인지 구하시오.

10 계산 결과가 가장 작은 것을 찾아 기호를 쓰시오.

$$\bigcirc\ 4\frac{1}{9}-1\frac{1}{12} \qquad \bigcirc\ 4\frac{7}{10}-1\frac{2}{3}$$
$$\bigcirc\ 4\frac{5}{8}-1\frac{1}{2}$$

11 빈 곳에 알맞은 수를 써넣으시오.

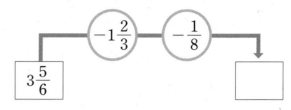

12 계산 결과가 작은 것부터 차례대로 기호를 쓰시오.

$$\bigcirc\ 3\frac{5}{6}-1\frac{2}{9} \qquad \bigcirc\ 3\frac{4}{7}-1\frac{1}{3}$$
$$\bigcirc\ 3\frac{4}{5}-1\frac{1}{2}$$

13 서영이는 케이크를 만들기 위해 박력분 $\frac{7}{10}$ kg 중에서 $\frac{1}{6}$ kg을 사용하였습니다. 남은 박력분은 몇 kg인지 구하시오.

14 계산 결과를 비교하여 ○ 안에 >, =, <를 알맞게 써넣으시오.

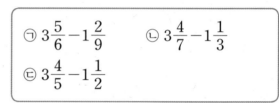

15 숫자 2, 3, 8을 한 번씩만 사용하여 만들 수 있는 대분수 중에서 가장 큰 수와 가장 작은 수의 차를 구하시오.

18 어떤 수에서 $1\frac{1}{6}$을 빼야할 것을 잘못하여 더했더니 $5\frac{3}{8}$이 되었습니다. 바르게 계산하면 얼마인지 구하시오.

16 어떤 수에서 $\frac{5}{12}$를 빼야 할 것을 잘못하여 더하였더니 $\frac{8}{9}$이 되었습니다. 바르게 계산하면 얼마인지 구하시오.

19 계산 결과를 비교하여 ○ 안에 >, =, <를 알맞게 써넣으시오.

$$3\frac{7}{8}-1\frac{1}{2} \bigcirc 4\frac{3}{4}-2\frac{1}{6}$$

17 □ 안에 들어갈 수 있는 자연수를 모두 구하시오.

$$3<\square<9\frac{7}{8}-2\frac{4}{9}$$

20 삼각형의 세 변의 길이는 각각 $2\frac{1}{5}$ m, $3\frac{5}{8}$ m, $4\frac{1}{2}$ m입니다. 이 중 가장 긴 변과 가장 짧은 변의 길이의 차는 몇 m인지 구하시오.

15 분수의 뺄셈 (2)

우리는 앞 단원에서 $\dfrac{1}{2}-\dfrac{1}{6}$, $3\dfrac{5}{8}-1\dfrac{1}{6}$과 같이 분모가 다른 진분수와 대분수의 뺄셈 방법을 알아보았습니다. 앞 단원에서 배운 뺄셈은 받아내림이 없는 뺄셈이고, 다음과 같이 계산하였습니다.

$$\cdot\ \frac{1}{2}-\frac{1}{6}=\frac{1\times6}{2\times6}-\frac{1\times2}{6\times2}=\frac{6}{12}-\frac{2}{12}=\frac{4}{12}=\frac{1}{3}$$
$$\cdot\ 3\frac{5}{8}-1\frac{1}{6}=3\frac{15}{24}-1\frac{4}{24}=(3-1)+\left(\frac{15}{24}-\frac{4}{24}\right)=2\frac{11}{24}$$

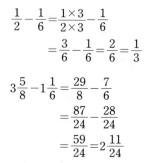

$$\frac{1}{2}-\frac{1}{6}=\frac{1\times3}{2\times3}-\frac{1}{6}$$
$$=\frac{3}{6}-\frac{1}{6}=\frac{2}{6}=\frac{1}{3}$$
$$3\frac{5}{8}-1\frac{1}{6}=\frac{29}{8}-\frac{7}{6}$$
$$=\frac{87}{24}-\frac{28}{24}$$
$$=\frac{59}{24}=2\frac{11}{24}$$

그렇다면 $3\dfrac{1}{2}-2\dfrac{2}{3}$와 같이 받아내림이 있는 분모가 다른 대분수의 뺄셈은 어떻게 계산할까요?

받아내림이 있는 분모가 다른 대분수의 뺄셈은 자연수는 자연수끼리, 분수는 분수끼리 빼서 계산합니다. 이때 분수 부분의 뺄셈이 되지 않으므로 <mark>자연수 부분에서 1을</mark> <mark>받아내림</mark>하여 계산합니다.

또한, 받아내림이 있는 분모가 다른 대분수의 뺄셈은 대분수를 가분수로 고쳐서 계산합니다.

$$[\text{방법 1}]\ \ 3\frac{1}{2}-2\frac{2}{3}=3\frac{3}{6}-2\frac{4}{6}=2\frac{9}{6}-2\frac{4}{6}=(2-2)+\left(\frac{9}{6}-\frac{4}{6}\right)=\frac{5}{6}$$
$$[\text{방법 2}]\ \ 3\frac{1}{2}-2\frac{2}{3}=\frac{7}{2}-\frac{8}{3}=\frac{21}{6}-\frac{16}{6}=\frac{5}{6}$$

여기서 $2\dfrac{1}{2}-1\dfrac{3}{5}$이 어떻게 계산되는지 그림을 통해서도 알아봅시다. ☐ 안에 알맞은 수를 써넣으시오.

$$2\frac{1}{2}-1\frac{3}{5}=2\frac{5}{10}-1\frac{6}{10}=1\frac{15}{10}-1\frac{6}{10}=\frac{\boxed{}}{10}$$

답 <u>9</u>

풍산자 비법 받아내림이 있는 분모가 다른 대분수의 뺄셈에서 분수 부분끼리 뺄 수 없으면
⇨ 자연수 부분에서 1을 받아내림하여 계산한다.

01 $4\frac{2}{5}-2\frac{1}{2}$을 두 가지 방법으로 계산하려고 합니다. □ 안에 알맞은 수를 써넣으시오.

▶ 자연수는 자연수끼리, 분수는 분수끼리 빼서 계산하기

$$4\frac{2}{5}-2\frac{1}{2}=4\frac{\square}{10}-2\frac{\square}{10}$$

$$=3\frac{\square}{10}-2\frac{\square}{10}$$

$$=(3-2)+\left(\frac{\square}{10}-\frac{\square}{10}\right)$$

$$=\boxed{}$$

▶ 대분수를 가분수로 고쳐서 계산하기

$$4\frac{2}{5}-2\frac{1}{2}=\frac{\square}{5}-\frac{\square}{2}$$

$$=\frac{\square}{10}-\frac{\square}{10}$$

$$=\frac{\square}{10}=\boxed{}$$

02 다음을 계산하시오.

(1) $4\frac{1}{2}-2\frac{6}{7}$

(2) $5\frac{3}{20}-3\frac{5}{8}$

(3) $4\frac{1}{8}-1\frac{3}{7}$

(4) $6\frac{4}{9}-2\frac{5}{6}$

03 빈 곳에 알맞은 수를 써넣으시오.

(1)
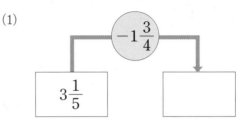

(2)
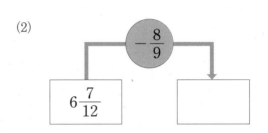

04 다음을 만족하는 수를 구하시오.

$5\frac{3}{4}$보다 $3\frac{5}{6}$ 작은 수

05 두 분수의 차를 구하시오.

$5\frac{3}{8}$ $3\frac{1}{2}$

06 계산 결과를 비교하여 ○ 안에 >, =, <를 알맞게 써넣으시오.

$$6\frac{1}{3}-1\frac{2}{5} \bigcirc 6\frac{4}{15}-1\frac{5}{6}$$

07 계산 결과가 더 작은 것의 기호를 쓰시오.

$$\bigcirc\ 4\frac{4}{9}-3\frac{7}{15} \qquad \bigcirc\ 3\frac{2}{5}-2\frac{5}{9}$$

08 강아지의 무게는 $7\frac{2}{9}$ kg이고, 고양이의 무게는 $5\frac{1}{2}$ kg입니다. 강아지는 고양이보다 몇 kg 더 무거운지 구하시오.

09 계산 과정에서 틀린 부분을 찾고 바르게 계산한 답을 구하시오.

$$4\frac{1}{6}-1\frac{7}{9}=4\frac{3}{18}-1\frac{14}{18}$$
$$=4\frac{21}{18}-1\frac{14}{18}=3\frac{7}{18}$$

10 계산 결과가 더 큰 것의 기호를 쓰시오.

$$\bigcirc\ 5\frac{9}{20}-3\frac{3}{4} \qquad \bigcirc\ 4\frac{1}{6}-1\frac{7}{8}$$

11 ◆를 다음과 같이 계산할 때, $8\frac{3}{7}◆4\frac{2}{3}$를 계산하시오.

$$가◆나=가-나-\frac{13}{14}$$

12 계산 결과를 비교하여 ○ 안에 >, =, <를 알맞게 써넣으시오.

$$5\frac{3}{10}-2\frac{5}{6} \bigcirc 3\frac{1}{8}-1\frac{7}{12}$$

13 $5\dfrac{7}{8}$ L의 물이 들어 있는 13 L 들이의 수조에 $3\dfrac{13}{20}$ L의 물을 더 부었습니다. 몇 L의 물을 더 부어야 수조에 물이 가득 채워지는지 구하시오.

14 □ 안에 알맞은 수를 써넣으시오.

$$\boxed{}+2\dfrac{4}{5}=5\dfrac{3}{7}$$

15 어떤 수에 $5\dfrac{1}{6}$ 을 더하였더니 $8\dfrac{1}{10}$ 이 되었습니다. 어떤 수를 구하시오.

16 냉장고에 물이 $2\dfrac{1}{3}$ L 있고, 음료수는 물보다 $1\dfrac{7}{8}$ L 더 많이 있습니다. 주스가 음료수보다 $2\dfrac{1}{4}$ L 더 적게 있다면, 주스는 몇 L 있는지 구하시오.

17 □ 안에 들어갈 수 있는 자연수 중에서 가장 큰 수를 구하시오.

$$3\dfrac{1}{6}-1\dfrac{3}{4}>1\dfrac{\boxed{}}{12}$$

18 ㉠과 ㉡의 차를 구하시오.

㉠ 1이 3개, $\dfrac{1}{5}$ 이 1개인 수

㉡ 1이 2개, $\dfrac{1}{9}$ 이 7개인 수

가장 오래된 수학책

지금까지 우리는 분수의 덧셈과 뺄셈을 배웠습니다.

이와 관련된 신기한 수학 이야기, 분수와 관련된 가장 오래된 수학책을 알아 봅시다.

가장 오래된 수학책은 무엇일까?

기원전 1700년 무렵 작성된 것으로 알려져 있는 린드 파피루스.

이집트에서 발견된 린드 파피루스는 고대 이집트의 수학 지식을 적어놓은

길이 5.5 m, 폭 0.33 m의 두루마리입니다.

여기에는 분수를 나열한 표와 87가지의 수학 문제가 담겨있다고 합니다.

그 옛날에도 분수를 사용했을 뿐 아니라 수학 문제도 풀었다니!

고대 이집트의 수학, 참 놀랍죠?

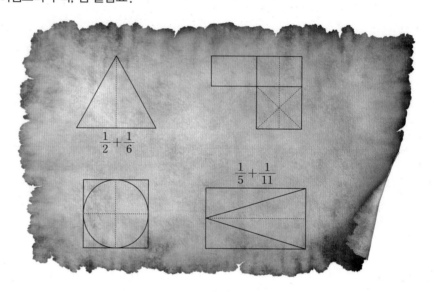

린드 파피루스에 적혀있는 분수에 대한 내용을 살펴볼까요?

이 당시 이집트에서는 분자가 1인 분수들만 사용했다고 합니다.

즉, $\dfrac{1}{2}$, $\dfrac{1}{3}$, $\dfrac{1}{4}$ ······과 같은 분수들을 사용했고 $\dfrac{2}{3}$, $\dfrac{5}{7}$ ······과 같은 분수를 사용하지 않았다

고 합니다. 또 $\dfrac{2}{3}$와 같은 분수는 $\dfrac{1}{2}+\dfrac{1}{6}$로 표시하였습니다.

고대 이집트의 분수 계산법, 신기하지 않나요?

이집트인처럼 계산하기

분자가 1인 분수들의 합으로 만들어 봅시다.

[1] $\dfrac{3}{4}=$　　　　　　　　　　　　　　　[2] $\dfrac{11}{24}=$

[3] $\dfrac{3}{16}=$　　　　　　　　　　　　　　　[4] $\dfrac{5}{30}=$

[5] $\dfrac{14}{45}=$　　　　　　　　　　　　　　　[6] $\dfrac{13}{84}=$

6

:::

다각형의 둘레와 넓이

16 다각형의 둘레

우리는 [수학 4-2] 6단원 다각형에서 선분으로만 둘러싸인 도형을 다각형이라 하고, 다각형은 변의 수에 따라 변이 6개이면 육각형, 변이 7개이면 칠각형, 변이 8개이면 팔각형 등으로 부른다는 것을 알아보았습니다.

그렇다면 정다각형이나 사각형의 둘레는 어떻게 구할까요?

정다각형은 모든 변의 길이가 같으므로 둘레는 정다각형의 한 변의 길이를 변의 수만큼 곱해 주면 됩니다. 즉, (정다각형의 둘레)=(한 변의 길이)×(변의 수)입니다.

또한, 사각형의 둘레는 네 변의 길이를 모두 더하면 됩니다.

이때 각 사각형의 성질을 이용하면 다음과 같이 쉽게 구할 수 있습니다.

(직사각형의 둘레)=(가로)×2+(세로)×2={(가로)+(세로)}×2

(평행사변형의 둘레)=(한 변의 길이)×2+(다른 한 변의 길이)×2
　　　　　　　　　={(한 변의 길이)+(다른 한 변의 길이)}×2

(마름모의 둘레)=(한 변의 길이)×4

여기서 직각으로 이루어진 도형의 둘레를 구하는 방법을 알아봅시다. □ 안에 알맞은 수를 써넣으시오.

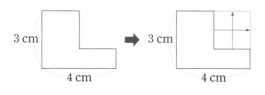

변을 이동하여 직사각형으로 만든 후 둘레를 구합니다.

(도형의 둘레)=(직사각형의 둘레)
　　　　　　=(4+3)×2
　　　　　　=□ (cm)

답 14

풍산자 비법

❶ (정다각형의 둘레)=(한 변의 길이)×(변의 수)

❷ (직사각형의 둘레)={(가로)+(세로)}×2

❸ (평행사변형의 둘레)={(한 변의 길이)+(다른 한 변의 길이)}×2

❹ (마름모의 둘레)=(한 변의 길이)×4

변의 길이가 모두 같고 각의 크기가 모두 같은 다각형
⇨ 정다각형

직사각형
⇨ 마주 보는 변의 길이가 각각 같다

평행사변형
⇨ 마주 보는 변의 길이가 각각 같다

마름모
⇨ 네 변의 길이가 같다

01 직사각형의 둘레를 구하시오.

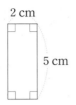

2 cm
5 cm

02 둘레가 가장 긴 도형의 기호를 쓰시오.

> ㉠ 한 변의 길이가 8 cm인 정사각형
> ㉡ 한 변의 길이가 6 cm이고 다른 한 변
> 　의 길이가 9 cm인 평행사변형
> ㉢ 한 변의 길이가 9 cm인 마름모
> ㉣ 한 변의 길이가 15 cm인 정삼각형

03 한 변의 길이가 8 cm인 정육각형의 둘레를 구하시오.

8 cm

04 도형의 둘레를 구하시오.

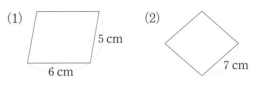

(1) 5 cm
6 cm

(2) 7 cm

05 직각으로 이루어진 도형의 둘레를 구하시오.

(1)
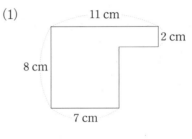

11 cm
2 cm
8 cm
7 cm

(2)
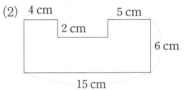

4 cm　5 cm
2 cm
6 cm
15 cm

06 한 변의 길이가 36 cm인 평행사변형의 둘레가 108 cm입니다. 다른 한 변의 길이를 구하시오.

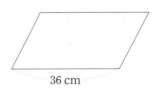

36 cm

07 직각으로 이루어진 도형의 둘레를 구하시오.

(1)

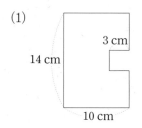

(2)

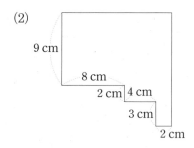

08 정삼각형 네 개로 하나의 큰 정삼각형을 만들었습니다. 큰 정삼각형의 한 변의 길이가 16 cm일 때, 작은 정삼각형 1개의 둘레를 구하시오.

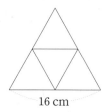

09 두 도형의 둘레가 각각 40 cm일 때 한 변의 길이를 구하시오.

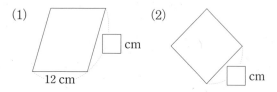

10 둘레가 가장 긴 것을 고르시오.

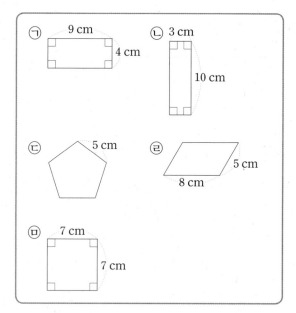

11 사각형 모양의 다양한 미술작품이 있습니다. 둘레가 가장 긴 작품을 고르시오.

> ㉠ 한 변이 1 m 20 cm인 마름모
> ㉡ 가로 100 cm, 세로 1 m 30 cm인 직사각형
> ㉢ 한 변이 1 m 50 cm, 다른 한 변이 70 cm인 평행사변형

12 한 변의 길이가 2 cm인 정사각형을 가지고 그림과 같은 모양을 만들었습니다. 완성된 모양의 둘레를 구하시오.

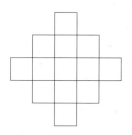

13 세 학생이 침대를 모두 붙여 함께 자기로 했습니다. 침대의 둘레를 구하시오.

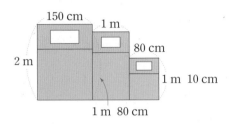

14 그림과 같은 평행사변형에서 두 변의 길이를 5 cm씩 줄여 새로운 모양의 평행사변형을 만들었습니다. 새로 만든 평행사변형의 둘레를 구하시오.

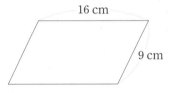

15 가로가 2 m이고 세로가 5 m인 직사각형 모양의 주차장에 자동차 1대를 주차할 수 있다고 합니다. 자동차 1대를 주차할 수 있는 주차장의 둘레를 구하시오.

16 축구협회에서 정한 축구장의 크기는 가로가 105 m, 세로가 68 m인 직사각형 모양이라고 합니다. 축구장의 둘레를 구하시오.

17 가로가 13 cm, 세로가 20 cm인 직사각형 모양의 동화책이 있습니다. 이 동화책을 펼쳤을 때 펼친 책의 전체 둘레를 구하시오. (책의 두께는 생각하지 않습니다.)

18 한 변의 길이가 가장 긴 것부터 차례대로 쓰시오.

> ㉠ 둘레가 56 cm인 마름모
> ㉡ 둘레가 70 cm인 정칠각형
> ㉢ 둘레가 33 cm인 정삼각형

17 넓이의 단위

우리는 이전 학년에서 길이의 단위로 1 mm, 1 cm, 1 m, 1 km를 알아보았습니다. 이 단위들 사이의 관계는 다음과 같았습니다.

• 10 mm=1 cm	• 100 cm=1 m	• 1000 m=1 km

그렇다면 넓이의 단위는 어떻게 나타낼까요?

도형의 넓이를 나타낼 때에는 한 변의 길이가 1 cm인 정사각형의 넓이를 넓이의 단위로 사용합니다. 이 정사각형의 넓이를 **1 cm²**라 쓰고 **1 제곱센티미터**라고 읽습니다.

cm²보다 더 큰 넓이는 한 변의 길이가 1 m인 정사각형의 넓이를 단위로 사용할 수 있습니다. 이 정사각형의 넓이를 **1 m²**라 쓰고 **1 제곱미터**라고 읽습니다.

또한, m²보다 더 큰 넓이는 한 변의 길이가 1 km인 정사각형의 넓이를 단위로 사용할 수 있습니다. 이 정사각형의 넓이를 **1 km²**라 쓰고 **1 제곱킬로미터**라고 읽습니다.

넓이의 단위들 사이의 관계는 다음과 같습니다.

• $1 \text{ m}^2=10000 \text{ cm}^2$	• $1 \text{ km}^2=1000000 \text{ m}^2$

여기서 넓이의 단위들 사이의 관계를 자세히 알아봅시다. ☐ 안에 알맞은 수를 써넣으시오.

(1) 1 cm²는 한 변의 길이가 1 cm이고 1 m²는 한 변의 길이가 1 m이므로 1 m²에는 1 cm²가 한 줄에 100개씩 100줄 들어갑니다.

즉, 1 m² 속에 1 cm²가 $100 \times 100 = 10000$(개) 들어가므로 $1 \text{ m}^2 = \boxed{} \text{ cm}^2$입니다.

(2) 1 m²는 한 변의 길이가 1 m이고 1 km²는 한 변의 길이가 1 km이므로 1 km²에는 1 m²가 한 줄에 1000개씩 1000줄 들어갑니다.

즉, 1 km² 속에 1 m²가 $1000 \times 1000 = 1000000$(개) 들어가므로 $1 \text{ km}^2 = \boxed{} \text{ m}^2$입니다.

답 10000, 1000000

cm² 단위로 나타내면 수가 너무 커질 때
⇨ cm²보다 더 큰 단위인 m² 단위를 사용

m² 단위로 나타내면 수가 너무 커질 때
⇨ m²보다 더 큰 단위인 km² 단위를 사용

풍산자 비법

$1 \text{ m}^2=10000 \text{ cm}^2$	$1 \text{ km}^2=1000000 \text{ m}^2$

01 도형에 $1\,cm^2$가 몇 번 들어가는지 구하시오.

(1)
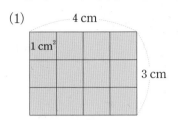

(2)
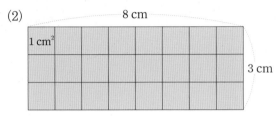

02 □ 안에 알맞은 수를 써넣으시오.

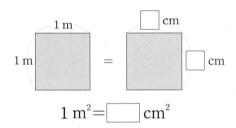

03 $1\,m^2$를 이용하여 도형의 넓이를 구하시오.

(1)
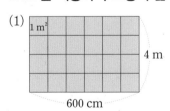

(2)
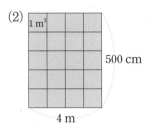

04 $1\,cm^2$를 이용하여 도형의 넓이를 구하시오.

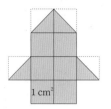

05 □ 안에 알맞은 수를 써넣으시오.

(1) $1\,m^2 =$ ☐ cm^2

(2) $50000\,cm^2 =$ ☐ m^2

06 □ 안에 알맞은 수를 써넣으시오.

(1) $4\,km^2 =$ ☐ m^2

(2) $16000000\,m^2 =$ ☐ km^2

07 cm², m², km² 중 알맞은 단위를 골라 □ 안에 써넣으시오.

(1) 교실의 넓이는 72 □입니다.

(2) 서울시의 면적은 605 □입니다.

08 색칠한 부분의 넓이는 $\frac{1}{2}$ cm²입니다. 그림에서 가장 큰 정사각형의 넓이를 구하시오.

$\frac{1}{2}$ cm²

09 넓이가 8 cm²인 도형을 2개 그리시오.

1 cm²

10 다음 중 서로 같은 것을 찾아 선으로 이어 보시오.

10000000 m² •   • 10 km²

7 km² •   • 35 m²

350000 cm² •   • 7000000 m²

11 주어진 넓이를 이용하여 도형의 전체 넓이를 구하시오.

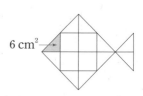

6 cm²

12 넓이의 단위로 적절한 것을 찾아 선으로 이어 보시오.

색종이의 넓이 •   • m²

대한민국의 면적 •   • cm²

놀이터의 넓이 •   • km²

13 크기를 비교하여 가장 큰 것부터 차례대로 쓰시오.

> ㉠ 54000 cm²   ㉡ 54 m²
> ㉢ 6 m²   ㉣ 500000 cm²

14 ㉠, ㉡, ㉢의 합을 구하시오.

> • 24000000 m² = ㉠ km²
> • 90000 cm² = ㉡ m²
> • 6 m² = ㉢ cm²

15 천을 염색할 때 한 조각당 염료가 5 g이 필요하다고 합니다. 다음 그림과 같이 조각이 연결된 천을 전체 염색할 때 염료 몇 g이 필요한지 구하시오.

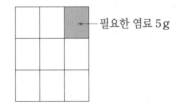
필요한 염료 5g

16 가로가 4 m, 세로가 2 m인 액자가 있습니다. 이 액자에 가로가 10 cm, 세로가 10 cm인 정사각형 모양의 사진을 빈틈없이 붙이려고 합니다. 사진은 모두 몇 장이 필요한지 구하시오.

17 세로가 3 km이고 가로가 세로의 7배인 과수원이 있습니다. 넓이가 1 km²인 땅에 사과나무 10그루를 심을 수 있다고 할 때, 이 과수원에는 몇 그루의 사과나무를 심을 수 있는지 구하시오.

18 가로가 6 m, 세로가 5 m인 벽이 있습니다. 이 벽에 가로가 20 cm, 세로가 25 cm인 직사각형 모양의 포스터를 빈틈없이 붙이려고 합니다. 포스터는 모두 몇 장이 필요한지 구하시오.

18 직사각형의 넓이

우리는 앞 단원에서 넓이의 단위를 이용하여 도형의 넓이를 구하는 방법을 알아보 았습니다. 넓이의 단위를 이용하여 직사각형과 정사각형의 넓이를 구하면 다음과 같았습니다.

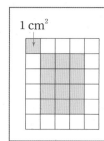

넓이가 1 cm^2인 정사각형이 가로로 3개, 세로로 4개 총 $3 \times 4 = 12$(개) 있으므로 직사각형의 넓이는 12 cm^2이다.

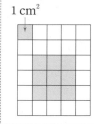

넓이가 1 cm^2인 정사각형이 가로로 3개, 세로로 3개 총 $3 \times 3 = 9$(개) 있으므로 정사각형의 넓이는 9 cm^2이다.

그렇다면 넓이의 단위를 나타내는 정사각형의 개수를 세지 않고 가로, 세로를 이용하여 직사각형의 넓이는 어떻게 구할까요?

직사각형의 넓이는 (가로)×(세로)로 구할 수 있고,

정사각형의 넓이는 (한 변의 길이)×(한 변의 길이)로 구할 수 있습니다.

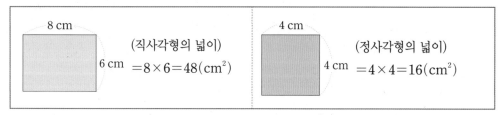

(직사각형의 넓이)
$= 8 \times 6 = 48 (\text{cm}^2)$

(정사각형의 넓이)
$= 4 \times 4 = 16 (\text{cm}^2)$

(정사각형의 넓이)
=(직사각형의 넓이)
=(가로)×(세로)
=(한 변의 길이)×(한 변의 길이)

즉, 직사각형과 정사각형의 넓이는 직각을 이루는 두 변의 길이를 곱하여 구할 수 있습니다.

여기서 직각으로 이루어진 도형의 넓이를 구하는 방법을 알아봅시다. ☐ 안에 알맞은 수를 써넣으시오.

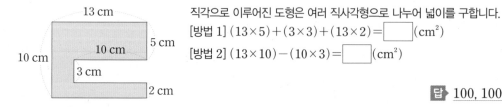

직각으로 이루어진 도형은 여러 직사각형으로 나누어 넓이를 구합니다.
[방법 1] $(13 \times 5) + (3 \times 3) + (13 \times 2) = \boxed{} (\text{cm}^2)$
[방법 2] $(13 \times 10) - (10 \times 3) = \boxed{} (\text{cm}^2)$

답 100, 100

풍산자 비법 ✦

❶ (직사각형의 넓이)=(가로)×(세로)

❷ (정사각형의 넓이)=(한 변의 길이)×(한 변의 길이)

01 직사각형의 넓이를 구하시오.

(1)

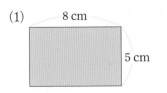

(2)

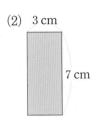

02 가로가 25 cm, 세로가 22 cm인 직사각형 모양의 스케치북 넓이를 구하시오.

03 직사각형과 둘레와 같은 정사각형이 있습니다. 이 정사각형의 넓이를 구하시오.

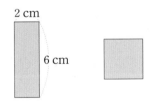

04 넓이가 72 cm²인 직사각형이 있습니다. 이 직사각형의 세로가 8 cm일 때, 가로를 구하시오.

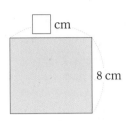

05 둘레가 56 cm인 정사각형이 있습니다. 이 정사각형의 넓이를 구하시오.

06 가로가 16 cm인 직사각형 모양 달력이 있습니다. 이 달력의 넓이가 384 cm²일 때, 달력의 세로를 구하시오.

07 직각으로 이루어진 도형의 넓이를 구하시오.

(1)
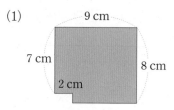

(2)
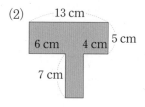

(3)
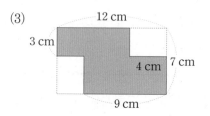

08 직각으로 이루어진 도형에서 색칠한 부분의 넓이를 구하시오.

(1)
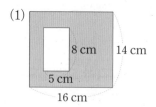

(2)
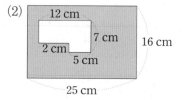

09 직각으로 이루어진 도형의 넓이를 구하시오.

(1)
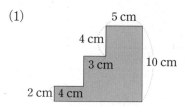

(2)
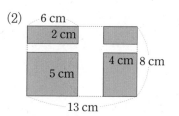

(3)
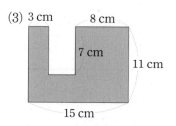

10 넓이가 224 cm^2인 직사각형이 있습니다. 이 직사각형의 가로가 16 cm일 때, 둘레를 구하시오.

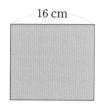

11 한 변이 30 m인 정사각형 모양의 땅에 건물을 지었습니다. 건물을 세운 땅의 넓이를 구하시오.

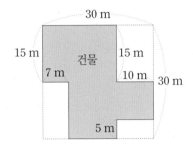

12 직사각형 모양의 공원에 길을 만들었습니다. 길을 제외한 공원의 넓이를 구하시오.

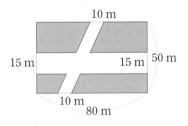

13 둘레가 36 cm인 정사각형 모양의 액자 3개를 연결하여 직사각형으로 만들었습니다. 이 직사각형의 넓이를 구하시오.

14 어떤 집의 내부 구조는 그림과 같습니다. 모든 방의 넓이의 합을 구하시오.

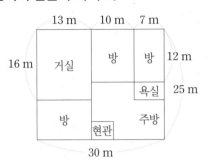

15 직사각형 두 개를 붙여 새로운 도형을 만들었습니다. 도형의 둘레가 64 cm일 때, 넓이를 구하시오.

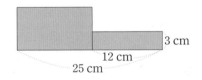

16 어떤 직사각형이 세 조건을 만족합니다. 이 직사각형의 세로를 구하시오.

> ㉠ 직사각형의 둘레는 26 cm입니다.
> ㉡ 직사각형의 넓이는 40 cm²입니다.
> ㉢ 가로는 세로보다 짧습니다.

19 평행사변형과 삼각형의 넓이

우리는 앞 단원에서 직사각형과 정사각형의 넓이 구하는 방법을 알아보았습니다. 직사각형과 정사각형의 넓이는 각각 (가로)×(세로)와 (한 변의 길이)×(한 변의 길이)로 구하였습니다.

그렇다면 평행사변형과 삼각형의 넓이는 어떻게 구할까요?

평행사변형에서 평행한 두 변을 **밑변**이라 하고, 두 밑변 사이의 거리를 **높이**라고 합니다.

평행사변형의 넓이는 (밑변의 길이)×(높이)로 구할 수 있습니다.

삼각형의 한 변을 **밑변**이라고 하면, 밑변과 마주 보는 꼭짓점에서 밑변에 수직으로 그은 선분의 길이를 **높이**라고 합니다.

삼각형의 넓이는 (밑변의 길이)×(높이)÷2로 구할 수 있습니다.

밑변은 밑에 있는 변이 아니라 기준이 되는 변
⇨ 밑변에 따라 높이가 달라진다

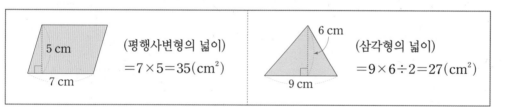

(평행사변형의 넓이)
=7×5=35(cm²)

(삼각형의 넓이)
=9×6÷2=27(cm²)

여기서 평행사변형과 삼각형의 넓이 구하는 식이 어떻게 나왔는지 알아봅시다.
□ 안에 알맞은 것을 써넣으시오.

평행사변형에서 밑변의 길이와 높이가 각각 같으면
⇨ 모양이 달라도 넓이는 같다

삼각형에서 밑변의 길이와 높이가 각각 같으면
⇨ 모양이 달라도 넓이는 같다

평행사변형을 잘라 직사각형을 만듭니다.

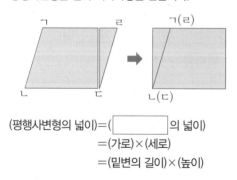

(평행사변형의 넓이)=([   ]의 넓이)
=(가로)×(세로)
=(밑변의 길이)×(높이)

모양과 크기가 같은 삼각형 2개로 평행사변형을 만듭니다.

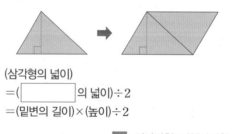

(삼각형의 넓이)
=([   ]의 넓이)÷2
=(밑변의 길이)×(높이)÷2

답 직사각형, 평행사변형

풍산자 비법

❶ (평행사변형의 넓이)=(밑변의 길이)×(높이)

❷ (삼각형의 넓이)=(밑변의 길이)×(높이)÷2

01 평행사변형의 넓이를 구하시오.

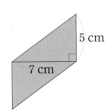

02 넓이가 같은 평행사변형과 삼각형이 있습니다. 평행사변형의 높이를 구하시오.

 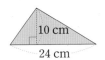

03 □ 안에 알맞은 수를 써넣으시오.

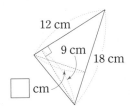

04 넓이가 144 cm²인 삼각형의 밑변의 길이가 24 cm일 때, 높이를 구하시오.

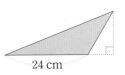

05 3개의 조각을 붙여 새로운 도형을 만들었습니다. 이 도형의 넓이를 구하시오.

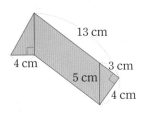

06 넓이가 9 cm²인 삼각형을 서로 다른 모양으로 2개 그리시오.

07 평행한 두 직선 사이에 4개의 삼각형이 있습니다. 넓이가 다른 것의 기호를 쓰시오.

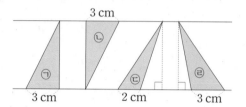

08 색칠한 부분의 넓이를 구하시오.

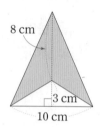

09 도형의 넓이를 구하시오.

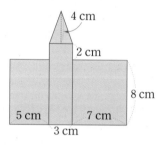

10 ☐ 안에 알맞은 수를 써넣으시오.

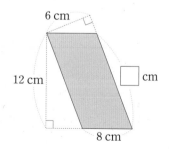

11 ㉠, ㉡, ㉢의 넓이의 합을 구하시오.

> ㉠ 밑변이 12 m이고 높이가 7 m인 평행사변형
> ㉡ 밑변이 16 m이고 높이가 6 m인 삼각형
> ㉢ 한 변의 길이가 4 m인 정사각형

12 평행사변형을 잘라 정사각형을 만들었습니다. 평행사변형의 넓이를 구하시오.

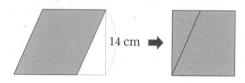

13 ☐ 안에 알맞은 수를 써넣으시오.

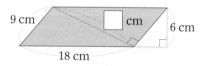

14 삼각형의 둘레는 40 cm입니다. 삼각형의 넓이를 구하시오.

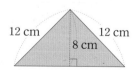

15 색칠한 부분의 넓이를 구하시오.

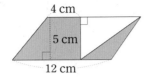

16 색칠한 부분의 넓이를 구하시오.

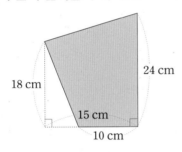

17 색칠한 부분의 넓이를 구하시오.

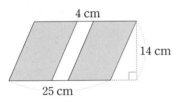

18 색칠한 부분의 넓이를 구하시오.

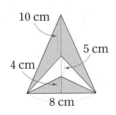

19 평행사변형 모양의 벽에 삼각형 모양으로 페인트를 칠하려고 합니다. 페인트를 칠하지 않은 벽의 넓이를 구하시오.

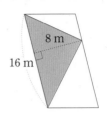

20 넓이가 같은 삼각형과 평행사변형이 있습니다. 삼각형의 밑변의 길이를 구하시오.

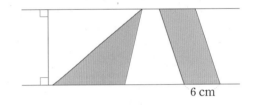

21 평행사변형과 삼각형의 밑변의 길이가 8 cm로 같습니다. 평행사변형과 삼각형의 넓이가 다음 도형의 넓이와 같을 때 평행사변형과 삼각형의 높이의 합을 구하시오.

> 가로가 10 cm, 세로가 12 cm인
> 직사각형

20 마름모와 사다리꼴의 넓이

우리는 앞 단원에서 평행사변형과 삼각형의 넓이 구하는 방법을 알아보았습니다.
평행사변형과 삼각형의 넓이는 각각 (밑변의 길이)×(높이)와 (밑변의 길이)×(높이)÷2
로 구하였습니다.

그렇다면 마름모와 사다리꼴의 넓이는 어떻게 구할까요?
마름모의 넓이는 (한 대각선의 길이)×(다른 대각선의 길이)÷2로 구할 수 있습니다.
사다리꼴에서 평행한 두 변을 **밑변**이라 하고, 한 밑변을 **윗변**, 다른
밑변을 **아랫변**이라고 합니다.
이때 두 밑변 사이의 거리를 **높이**라고 합니다.
사다리꼴의 넓이는 {(윗변의 길이)+(아랫변의 길이)}×(높이)÷2
로 구할 수 있습니다.

마름모에서 이웃하지 않는 두 점을 이은 선
⇨ 대각선

사다리꼴에서 두 밑변의 길이의 합과 높이가 각각 같으면
⇨ 모양이 달라도 넓이는 같다

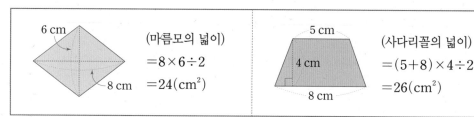

(마름모의 넓이)
$=8×6÷2$
$=24(\text{cm}^2)$

(사다리꼴의 넓이)
$=(5+8)×4÷2$
$=26(\text{cm}^2)$

여기서 마름모와 사다리꼴의 넓이 구하는 식이 어떻게 나왔는지 알아봅시다. □ 안
에 알맞은 것을 써넣으시오.

마름모를 둘러싸는 직사각형을 만듭니다.

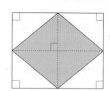

(마름모의 넓이)
$=(\boxed{}\text{의 넓이})÷2$
$=(\text{가로})×(\text{세로})÷2$
$=(\text{한 대각선})×(\text{다른 대각선})÷2$

사다리꼴 2개를 붙여서 평행사변형을 만듭니다.

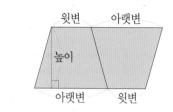

(사다리꼴의 넓이)
$=(\boxed{}\text{의 넓이})÷2$
$=(\text{윗변}+\text{아랫변})×(\text{높이})÷2$

답 직사각형, 평행사변형

풍산자 비법
❶ (마름모의 넓이)=(한 대각선의 길이)×(다른 대각선의 길이)÷2
❷ (사다리꼴의 넓이)={(윗변의 길이)+(아랫변의 길이)}×(높이)÷2

01 사다리꼴의 넓이를 구하려고 합니다. ☐ 안에 알맞은 수를 써넣으시오.

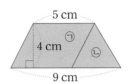

$\bigcirc + \bigcirc$

$= (5 \times \boxed{}) + \{(9-5) \times \boxed{} \div 2\}$

$= \boxed{} (\text{cm}^2)$

02 사다리꼴의 넓이를 구하시오.

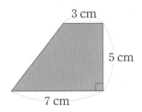

03 사다리꼴의 넓이를 구하시오.

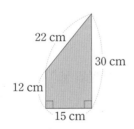

04 사다리꼴의 넓이를 구하시오.

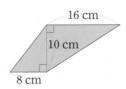

05 마름모의 넓이를 구하시오.

(1)
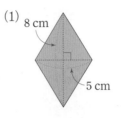

(2)
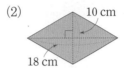

(3)
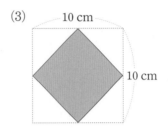

06 두 대각선의 길이가 다음과 같은 마름모가 있습니다. 넓이가 가장 큰 마름모의 기호를 쓰시오.

> ㉠ 7 cm, 14 cm ㉡ 8 cm, 8 cm
>
> ㉢ 6 cm, 12 cm

07 넓이가 30 cm²인 사다리꼴 1개와 마름모 1개를 그리시오.

08 직사각형 모양 운동장의 한 쪽에 꽃밭을 만들려고 합니다. 꽃밭을 제외한 운동장의 넓이를 구하시오.

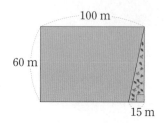

09 사다리꼴의 넓이가 50 cm²일 때 □ 안에 알맞은 수를 써넣으시오.

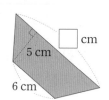

10 색칠한 부분의 넓이를 구하시오.

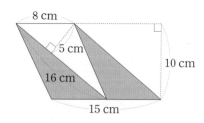

11 마름모 ㉠의 넓이는 사다리꼴 ㉡ 넓이의 2배입니다. □ 안에 알맞은 수를 써넣으시오.

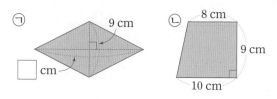

12 마름모의 넓이가 168 m²일 때, □ 안에 알맞은 수를 써넣으시오.

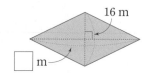

13 색칠한 부분의 넓이를 구하시오.

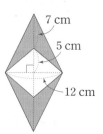

14 지름이 20 cm인 원 안에 가장 큰 정사각형을 그리고, 그 변의 한가운데 점을 이어 마름모를 그렸습니다. 마름모의 넓이를 구하시오.

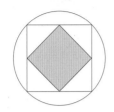

15 모양과 크기가 같은 마름모 2개를 겹쳐 놓았습니다. 색칠한 부분의 넓이를 구하시오.

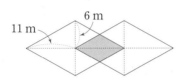

16 윗변이 아랫변보다 4 cm 더 짧은 사다리꼴 모양의 포장지가 있습니다. 이 포장지의 윗변은 15 cm이고 윗변과 아랫변 사이의 거리를 12 cm라고 할 때 이 포장지의 넓이를 구하시오.

17 정사각형 3개를 연결하여 그림과 같이 색칠을 하였습니다. 색칠한 부분의 넓이를 구하시오.

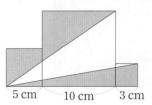

18 어느 휴대 전화 회사에서 화면 파손 부분이 전체 넓이의 $\frac{3}{4}$ 이상이면 전액 보상하고, 절반 이상이면 $\frac{1}{2}$ 만큼 보상, 절반 미만이면 보상하지 않는다고 합니다. 그림과 같이 사다리꼴 모양으로 화면이 파손되었을 때, 얼마나 보상받을 수 있는지 구하시오.

19 두 도형의 넓이가 서로 같을 때, ☐ 안에 알맞은 수를 써넣으시오.

> ㉠ 윗변 5 cm, 아랫변 9 cm, 높이 5 cm인 사다리꼴
> ㉡ 대각선의 길이가 7 cm, ☐ cm인 마름모

정다각형 으로 원의 넓이 구하기

지금까지 우리는 다각형의 둘레와 넓이**를 배웠습니다.**

다각형이 아닌 원의 넓이는 어떻게 구할까요?

정다각형의 넓이를 ▶
이용하여 원의 넓이를
구해볼까요?

그리스의 수학자들은 원의 넓이를 구하기 위해서 다양한 방법을 시도하였습니다.

그중 하나를 살펴보도록 합시다.

다음과 같이 원 안에 정다각형을 넣고 정다각형을 원의 중심을 한 꼭짓점으로 하는 여러 개의 삼각형으로 만들 수 있습니다.

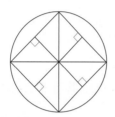 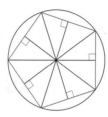 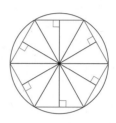 ......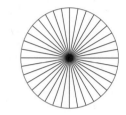

삼각형의 넓이는 (밑변)×(높이)÷2로 구할 수 있고, 위와 같이 정다각형을 삼각형으로 쪼개면 삼각형의 넓이를 통해 정다각형의 넓이를 구할 수 있습니다.

정다각형의 넓이는 삼각형의 넓이를 모두 더한 것과 같고, 정다각형의 변의 개수가 많아지면 삼각형의 밑변의 길이의 합은 정다각형의 둘레와 같아지므로

(정다각형의 넓이)＝(삼각형의 넓이)의 합

＝(밑변의 길이×높이÷2)의 합

＝(빨간색 정다각형의 둘레)×(높이)÷2

가 됩니다.

더 나아가 정다각형의 변의 개수가 계속 늘어나면 정다각형은 원과 비슷하게 되고 정다각형의 둘레는 원의 둘레와 비슷해지며 삼각형의 높이는 원의 반지름과 비슷하게 됩니다.

따라서

(원의 넓이)＝(변이 많은 정다각형의 넓이)

＝(변이 많은 정다각형의 둘레)×높이÷2

＝(원의 둘레)×(반지름)÷2

가 됩니다.

[수학 6-2]에서 실제로 원의 넓이는 위와 같이 나오게 된다는 것을 조금 더 정확하게 배우게 됩니다.

초등 풍산자로 개념을 적용하고 응용하여
연산, 유형, 서술형을 풀면 실력이 탄탄해집니다

처음 배우는 수학을 쉽게 접근하는 초등 풍산자 로드맵

연산 집중훈련서 · 교과 유형학습서 · 서술형 집중연습서 · 연산 반복훈련서

▶ 풍산자 개념X연산   ▶ 풍산자 개념X유형   ▶ 풍산자 개념X서술형   ▶ 풍산자 연산

초등 풍산자 교재	하	중하	중	상
연산 집중훈련서 **풍산자 개념X연산**	개념 적용 연산 학습, 기초 실력 완성			
교과 유형학습서 **풍산자 개념X유형**		개념 응용 유형 학습, 기본 실력 완성		
서술형 집중연습서 **풍산자 개념X서술형**		개념 활용 서술형 연습, 문제 해결력 완성		
출시 예정 연산 반복훈련서 **풍산자 연산**	연산만 집중적으로 반복 학습			

풍산자

개념 × 유형

초등 수학

5-1

지학사

교과서 속 유형을 빠르게!

풍산자

개념 x 유형

정답과 풀이

초등 수학 5-1

1 ::: 자연수의 혼합 계산

01 덧셈과 뺄셈이 섞여 있는 식

p. 07~09

> 교과서 + 익힘책 유형

01 (1) 111 (2) 111 (3) 13 (4) 5 　　**02** 39

03 풀이 참조 　　**04** < 　　**05** ㉡

06 풀이 참조 　　**07** (1) 8 (2) 40

> 교과서 + 익힘책 응용 유형

08 ㉢, ㉡, ㉠, ㉣, 36 　　**09** 풀이 참조

10 36 　　**11** 풀이 참조

12 84 　　**13** 0개

> 잘 틀리는 유형

14 32쪽 　　**15** 74 　　**16** ㉡, ㉢

17 14300원 　　**18** 34300원

19 15명

01 답 (1) 111 (2) 111 (3) 13 (4) 5
(1) $94+34-17=128-17=111$
(2) $94+(34-17)=94+17=111$
(3) $17-8+4=9+4=13$
(4) $17-(8+4)=17-12=5$

02 답 39
$56-34+17=22+17=39$

03 답 풀이 참조

$16+(55-8)-11$		80
$49+62-(24+7)$		52

$16+(55-8)-11=16+47-11=63-11=52$
$49+62-(24+7)=49+62-31=111-31=80$

04 답 <
$46-(15+9)=46-24=22$
$46-15+9=31+9=40$
따라서 ○ 안에 알맞은 것은 < 입니다.

05 답 ㉡
㉠ $53-12+29=21+29=70$
㉡ $53-(12+29)=53-41=12$
㉢ $(53-12)+29=21+29=70$
따라서 계산 결과가 잘못된 것은 ㉡입니다.

06 답 풀이 참조

$24+9-12$	$32-17+5$	$8+29-18$
( )	( )	(○)

$24+9-12=33-12=21$
$32-17+5=15+5=20$
$8+29-18=37-18=19$
따라서 계산 결과가 가장 작은 식은 $8+29-18$입니다.

07 답 (1) 8 (2) 40
(1) $73-\{(11+32)+22\}=73-(43+22)$
　　　　　　　　　　$=73-65=8$
(2) $9+\{(11-7)+25\}+2=9+(4+25)+2$
　　　　　　　　　　　$=9+29+2$
　　　　　　　　　　　$=38+2=40$

08 답 ㉢, ㉡, ㉠, ㉣, 36
소괄호와 중괄호가 같이 있는 식의 경우 소괄호를 먼저 계산한 후 중괄호를 계산합니다.
$95-\{16+(40-2)\}-5=95-(16+38)-5$
　　　　　　　　　　$=95-54-5$
　　　　　　　　　　$=41-5=36$

09 답 풀이 참조
$14+78-19=92-19=73$
따라서 빈 곳에 알맞은 수는 73입니다.

10 답 36
$\square+15-27=24$
$\square+15=24+27=51$
$\square=51-15=36$

11 답 풀이 참조

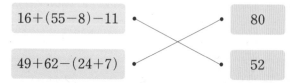

㉠ $77-(36+26)+19$	( )
㉡ $(84-30)-(45-26)$	(○)
㉢ $28+(41-32-3)$	( )

2 정답과 풀이

$\bigcirc$ $77-(36+26)+19=77-62+19$
$\qquad\qquad\qquad\qquad =15+19=34$
$\bigcirc$ $(84-30)-(45-26)=54-(45-26)$
$\qquad\qquad\qquad\qquad\quad =54-19=35$
$\bigcirc$ $28+(41-32-3)=28+(9-3)=28+6=34$
따라서 계산 결과가 다른 식은 $\bigcirc$입니다.

12 답 84

어떤 수를 $\square$라고 하고 계산합니다.
$\square-47+13=50$
$\square-47=50-13=37$
$\square=37+47=84$

13 답 0개

$15-(4+7)-3=15-11-3=4-3=1$
1보다 작은 자연수는 없습니다.
따라서 $\square$ 안에 들어갈 수는 0개입니다.

14 답 32쪽

$115-45-38=70-38=32$
따라서 준서가 더 읽어야 할 쪽수는 32쪽입니다.

15 답 74

$40\blacktriangle6=40+(40-6)=40+34=74$

16 답 $\bigcirc$, $\bigcirc$

$\bigcirc$ $52-23+16=29+16=45$
$\quad 52-(23+16)=52-39=13$
$\bigcirc$ $31+12-7=43-7=36$
$\quad (31+12)-7=43-7=36$
$\bigcirc$ $6+14-7=20-7=13$
$\quad 6+(14-7)=6+7=13$
따라서 두 식의 계산 결과가 같은 것은 $\bigcirc$, $\bigcirc$입니다.

17 답 14300원

$15000-5500+6000-1200$
$=9500+6000-1200$
$=15500-1200=14300$
따라서 남은 용돈은 14300원입니다.

18 답 34300원

$14300+20000=34300$
따라서 34300원 저축할 수 있습니다.

19 답 15명

$45-10-19-1=35-19-1=16-1=15$
따라서 15명이 더 탈 수 있습니다.

---

02 곱셈과 나눗셈이 섞여 있는 식

> 교과서 + 익힘책 유형

01 (1) 8 (2) 2 (3) 32 (4) 8
02 (1) 35 (2) 14 　　　**03** 풀이 참조
04 풀이 참조 **05** (1) 8 (2) 1 **06** 풀이 참조

> 교과서 + 익힘책 응용 유형

07 $\bigcirc$, $\bigcirc$, $\bigcirc$, 6 　　　**08** (1) 24 (2) 81
09 14 　　**10** > 　　**11** $\bigcirc$ 　　**12** 8개
13 가온, 20번

> 잘 틀리는 유형

14 9개 　　**15** 25 　　**16** $\bigcirc$과 $\bigcirc$
17 ×, ÷ 　　**18** 9 　　**19** 풀이 참조

01 답 (1) 8 (2) 2 (3) 32 (4) 8

(1) $50\div25\times8\div4\times2=2\times8\div4\times2$
$\qquad\qquad\qquad\qquad =16\div4\times2=4\times2=8$
(2) $50\div25\times8\div(4\times2)=50\div25\times8\div8$
$\qquad\qquad\qquad\qquad\quad =2\times8\div8=16\div8=2$
(3) $36\div9\times24\div6\times2=4\times24\div6\times2$
$\qquad\qquad\qquad\qquad\quad =96\div6\times2=16\times2=32$
(4) $36\div9\times24\div(6\times2)=36\div9\times24\div12$
$\qquad\qquad\qquad\qquad\qquad =4\times24\div12=96\div12$
$\qquad\qquad\qquad\qquad\qquad =8$

02 답 (1) 35 (2) 14

(1) $25\div5\times7=5\times7=35$
(2) $6\times7\div3=42\div3=14$

03 답 풀이 참조

괄호가 있는 식은 괄호 안을 먼저 계산합니다.
따라서 $360\div6$이 아닌 6×2를 먼저 계산해야 합니다. 바르게 계산하면 다음과 같습니다.
$360\div(6\times2)\div2=360\div12\div2=30\div2=15$

04 답 풀이 참조

$\boxed{8\times7\div2}$ 　 $\boxed{52\div4\times7}$ 　 $\boxed{11\times7\div7}$
　(　　) 　　(◯) 　　(　　)

$8\times7\div2=56\div2=28$
$52\div4\times7=13\times7=91$
$11\times7\div7=77\div7=11$
따라서 계산 결과가 가장 큰 식은 $52\div4\times7$입니다.

05 답 (1) 8 (2) 1

(1) $40 \div \square \times 7 = 35$

$40 \div \square = 35 \div 7$

$40 \div \square = 5$

$\square = 8$

(2) $36 \div (\square \times 6) \div 2 = 3$

$36 \div (\square \times 6) = 3 \times 2$

$36 \div (\square \times 6) = 6$

$\square \times 6 = 6$

$\square = 1$

06 답 풀이 참조

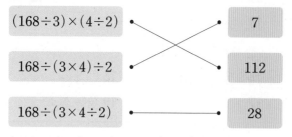

$(168 \div 3) \times (4 \div 2) = 56 \times (4 \div 2) = 56 \times 2 = 112$

$168 \div (3 \times 4) \div 2 = 168 \div 12 \div 2 = 14 \div 2 = 7$

$168 \div (3 \times 4 \div 2) = 168 \div (12 \div 2) = 168 \div 6 = 28$

07 답 ㉡, ㉠, ㉢, 6

괄호가 있는 식은 괄호 안을 먼저 계산하고, 앞에서부터 순서대로 계산합니다.

$48 \div (2 \times 8) \times 2 = 48 \div 16 \times 2 = 3 \times 2 = 6$

08 답 (1) 24 (2) 81

(1) $3 \times \{16 \div (4 \div 2)\} = 3 \times (16 \div 2) = 3 \times 8 = 24$

(2) $63 \div 7 \times \{36 \div (12 \div 3)\} = 63 \div 7 \times (36 \div 4)$

$= 63 \div 7 \times 9$

$= 9 \times 9 = 81$

09 답 14

㉠ $108 \div 27 \times 5 = 4 \times 5 = 20$

㉡ $144 \div (3 \times 8) = 144 \div 24 = 6$

㉠ $-$ ㉡ $= 14$

따라서 ㉠과 ㉡의 차는 14입니다.

10 답 >

$144 \div 9 \times 2 = 16 \times 2 = 32$

$144 \div (9 \times 2) = 144 \div 18 = 8$

따라서 ○ 안에 알맞은 것은 >입니다.

11 답 ㉠

괄호가 있는 식은 괄호 안을 먼저 계산하고, 앞에서부터 순서대로 계산합니다. 따라서 계산 순서는 ㉢,

㉠, ㉡, ㉣이고 두번째로 계산해야 하는 부분은 ㉠입니다.

12 답 8개

(총 귤의 개수) $= 20 \times 6 = 120$(개)

귤을 15개의 바구니에 똑같이 나누어 담았으므로 한 바구니에 들어가는 귤의 수는 $120 \div 15 = 8$(개)입니다.

13 답 가온, 20번

(가온이의 줄넘기 횟수) $= 5 \times 60 = 300$(번)

(동생의 줄넘기 횟수) $= 7 \times 40 = 280$(번)

$300 - 280 = 20$

따라서 가온이가 동생보다 줄넘기를 20번 더 했습니다.

14 답 9개

$120 \div 8 = 15$이므로 한 상자에 들어 있는 사과는 15개이고 세 상자에 들어 있는 사과는 $15 \times 3 = 45$(개)입니다.

이 사과를 5명에게 똑같이 나누어 준다고 했으므로 한 사람이 가지는 사과의 수는 $45 \div 5 = 9$(개)입니다.

15 답 25

$10 ◎ 2 = (10 \times 10) \div (2 \times 2) = 100 \div (2 \times 2)$

$= 100 \div 4 = 25$

16 답 ㉠과 ㉡

㉠ $30 \div 5 \times (6 \div 2) = 30 \div 5 \times 3 = 6 \times 3 = 18$

㉡ $\{(30 \div 5) \times 6\} \div 2 = (6 \times 6) \div 2 = 36 \div 2 = 18$

㉢ $30 \div \{5 \times (6 \div 2)\} = 30 \div (5 \times 3) = 30 \div 15 = 2$

따라서 계산 결과가 같은 것은 ㉠과 ㉡입니다.

17 답 ×, ÷

$54 \times (6 \div 3) = 54 \times 2 = 108$

$54 \div (6 \times 3) = 54 \div 18 = 3$

따라서 ○ 안에 알맞은 것은 ×, ÷입니다.

18 답 9

어떤 수를 $\square$라고 하고 계산합니다.

$\square \times 9 \div 3 \div 9 = 3$

$\square \times 9 \div 3 = 3 \times 9$

$\square \times 9 = 27 \times 3$

$\square = 81 \div 9 = 9$

따라서 어떤 수는 9입니다.

19 답 풀이 참조

$72 \div (4 \times 9) = 72 \div 36 = 2$

03 덧셈, 뺄셈, 곱셈, 나눗셈이 섞여 있는 식

p. 15~17

> 교과서 + 익힘책 유형

01 (1) 66 (2) 43　　　**02** ㉢

03 (1) 19 (2) 51 (3) 6 (4) 16

04 풀이 참조　　　　**05** (1) 17 (2) 45

06 <

> 교과서 + 익힘책 응용 유형

07 ㉣, ㉢, ㉡, ㉠, 42　　**08** ㉠과 ㉢

09 ㉡, ㉠, ㉢　**10** ㉤　　**11** 풀이 참조

12 풀이 참조　　　　**13** 3개

> 잘 틀리는 유형

14 풀이 참조　　　　**15** 14

16 44대　　**17** 780원　　**18** 126

19 ×, −, ÷

---

01 답 (1) 66 (2) 43
(1) $70-24\div(2\times3)=70-24\div6=70-4=66$
(2) $31+(28\div7)\times3=31+4\times3=31+12=43$

02 답 ㉢
계산 순서는 ㉢, ㉡, ㉠이고 가장 먼저 계산해야 하는 부분은 ㉢입니다.

03 답 (1) 19 (2) 51 (3) 6 (4) 16
(1) $32-8\times2+3=32-16+3=16+3=19$
(2) $(32-8)\times2+3=24\times2+3=48+3=51$
(3) $12+32\div16-8=12+2-8=14-8=6$
(4) $12+32\div(16-8)=12+32\div8=12+4=16$

04 답 풀이 참조
괄호가 있는 식은 괄호 안을 먼저 계산하고, 곱셈과 나눗셈을 순서대로 계산한 후 덧셈과 뺄셈을 순서대로 계산합니다.
$200-20\div4-\{2+(\widehat{32-24})\times9\}$

05 답 (1) 17 (2) 45
(1) $32-(12-7)\times3=32-5\times3=32-15=17$
(2) $25+5\times(13-9)=25+5\times4=25+20=45$

06 답 <
$10\times\{13-(8+4)\}=10\times(13-12)=10\times1=10$
$320\div(8\times2)=320\div16=20$
따라서 ○ 안에 알맞은 것은 <입니다.

07 답 ㉣, ㉢, ㉡, ㉠, 42
소괄호와 중괄호가 섞여 있는 식의 계산은 소괄호를 먼저 계산하고, 중괄호를 계산합니다.
$6\times\{9-16\div(10-2)\}=6\times(9-16\div8)$
$=6\times(9-2)=6\times7=42$

08 답 ㉠과 ㉢
㉠ $20+15\div5\times17=20+3\times17=20+51=71$
㉡ $(20+15)\div5\times17=35\div5\times17=7\times17=119$
㉢ $20+(15\div5)\times17=20+3\times17=20+51=71$
따라서 ㉠과 ㉢의 계산 결과가 같습니다.

09 답 ㉡, ㉠, ㉢
㉠ $2+15\times4-34\div2=2+60-34\div2$
$=2+60-17$
$=62-17=45$
㉡ $25+35\div7-3\times6=25+5-3\times6$
$=25+5-18$
$=30-18=12$
㉢ $(17+3)\times3+4\div2-6=20\times3+4\div2-6$
$=60+4\div2-6$
$=60+2-6$
$=62-6=56$
작은 것부터 차례대로 쓰면 ㉡, ㉠, ㉢입니다.

10 답 ㉤
계산 순서는 ㉣, ㉡, ㉤, ㉢, ㉠이므로 세 번째로 계산할 곳은 ㉤입니다.

11 답 풀이 참조

㉠ $(11-4)\times2+3$	(　　　　)
㉡ $(9+13\times3)\div16$	(　　　　)
㉢ $46\div2+(8-3)$	(　○　)

㉠ $(11-4)\times2+3=7\times2+3=14+3=17$
㉡ $(9+13\times3)\div16=(9+39)\div16=48\div16=3$
㉢ $46\div2+(8-3)=46\div2+5=23+5=28$
따라서 계산 결과가 가장 큰 식은 ㉢입니다.

12 답 풀이 참조

$6+24\div(3\times2)-4=6+24\div6-4=6+4-4=6$

13 답 3개

(남은 귤의 개수)$=25-(3+4)\times3-1$
$\qquad\qquad\qquad\quad=25-7\times3-1$
$\qquad\qquad\qquad\quad=25-21-1=4-1=3$

따라서 남은 귤은 3개입니다.

14 답 풀이 참조

소괄호를 가장 먼저 풀지 않고, 뺄셈을 나눗셈보다
빨리 계산하여 틀렸습니다.
따라서 바르게 계산하면 다음과 같습니다.
$\{64-16\div(6-2)\}\times3$
$=(64-16\div4)\times3=(64-4)\times3=60\times3=180$

15 답 14

$12\spadesuit6=(12+6\times12)\div6=(12+72)\div6$
$\qquad\quad=84\div6=14$

16 답 44대

(남은 주차 자리)$=60-8\times4+16=60-32+16$
$\qquad\qquad\qquad\qquad=28+16=44$

따라서 주차장에는 44대의 차를 더 주차할 수 있습니다.

17 답 780원

(거스름돈)$=2000-(960\div3)-900$
$\qquad\qquad=2000-320-900=1680-900=780$

따라서 거스름돈은 780원입니다.

18 답 126

어떤 수를 □라고 하고 계산합니다.
$\square\div9+4=6$, $\square\div9=6-4$
$\square\div9=2$, $\square=2\times9=18$
따라서 바르게 계산하면
$(18-4)\times9=14\times9=126$입니다.

19 답 $\times$, $-$, $\div$

$(4\times4-4)\div4=(16-4)\div4=12\div4=3$
따라서 ○ 안에 알맞은 것은 $\times$, $-$, $\div$입니다.

p. 18

0보다 작은 수는 무엇일까요?

[1] -1 **[2]** -2 **[3]** 6 **[4]** -3

[5] -1 **[6]** -3 **[7]** -5 **[8]** -6

[9] -3 **[10]** -2

---

2 ::: 약수와 배수

04 약수, 배수

p. 21~23

> 교과서 + 익힘책 유형

01 1, 2, 5, 10, 1, 2, 5, 10

02 7, 14, 21, 28, 7, 14, 21, 28

03 1, 3, 5, 9, 15, 45, 1, 3, 5, 9, 15, 45

04 풀이 참조 　　　**05** 1, 2, 4, 8, 16

06 ⓛ, ⓒ 　　　**07** 풀이 참조

> 교과서 + 익힘책 응용 유형

08 ⑤ 　**09** 풀이 참조 **10** 풀이 참조 **11** ⓛ

12 44, 72, 120, 500, 732 　　　**13** 6개

14 ⓛ, ⓔ, ⓜ 　　　**15** 105

> 잘 틀리는 유형

16 ③ 　　**17** 예 2 　　**18** 3가지 　**19** 4

20 4, 8, 12, 24 　　**21** ㉠ 4, ㉡ 9

01 답 1, 2, 5, 10, 1, 2, 5, 10

표에서 나머지가 없으면 나누어떨어진 것이므로 10
의 약수가 됩니다.

03 답 1, 3, 5, 9, 15, 45, 1, 3, 5, 9, 15, 45

어떤 수를 나누어떨어지게 하는 수는 그 어떤 수의
약수임을 기억합니다.

04 답 풀이 참조

○표: 1, 2, 4, 5, 10, 20 / △표: 1, 2, 3, 6, 9, 18

05 답 1, 2, 4, 8, 16

16이 ㉠의 배수라면, ㉠은 16의 약수입니다.
따라서 16의 약수는 1, 2, 4, 8, 16이므로 이 모두가
㉠이 됩니다.

06 답 ⓛ, ⓒ

63의 약수가 아닌 수를 찾습니다.
ⓛ: $63\div4=15\cdots3$
ⓒ: $63\div6=10\cdots3$
따라서 ⓛ 4와 ⓒ 6은 63을 나누어떨어지게 하는 수
가 아닙니다.

07 답 풀이 참조

곱셈식을 통해 약수와 배수의 관계인 수를 찾아봅니다.
$10=5\times2$, $20=5\times4$, $12=6\times2$,
$18=6\times3$, $20=10\times2$
따라서 약수와 배수의 관계인 수는 5와 10, 5와 20,
6과 12, 6과 18, 10과 20입니다.

08 답 ⑤

약수의 개수는 수가 클수록 무조건 많은 것이 아닙니다. 예를 들어, 6은 약수가 1, 2, 3, 6으로 4개이고, 9는 6보다 큰 수이지만 약수는 1, 3, 9로 3개뿐입니다. 따라서 옳지 않은 것은 ⑤입니다.

09 답 풀이 참조

○표: 3, 6, 9, 12, 15, 18, 21, 24, 27, 30
☆표: 6, 12, 18, 24, 30

10 답 풀이 참조

6의 배수는 3의 배수에 포함됩니다.

11 답 ㉡

㉠ 4의 약수: 1, 2, 4 ⇨ 3개
㉡ 19의 약수: 1, 19 ⇨ 2개
㉢ 9의 약수: 1, 3, 9 ⇨ 3개
따라서 약수의 개수가 다른 것은 ㉡입니다.

12 답 44, 72, 120, 500, 732

4의 배수 판별법을 이용합니다. 맨 뒤 두 자리가 4의 배수 혹은 00이면 4의 배수가 됩니다.
따라서 4의 배수는 44, 72, 120, 500, 732입니다.

13 답 6개

8의 배수를 나열하면 8, 16, 24, 32, 40, 48, 56, 64, 72⋯⋯이고 이 중 20 초과 70 이하인 자연수는 24, 32, 40, 48, 56, 64입니다.
따라서 조건을 만족하는 수는 6개입니다.

14 답 ㉡, ㉣, ㉤

㉡ 85는 7로 나누어떨어지지 않습니다.
㉣ 63은 8로 나누어떨어지지 않습니다.
㉤ 87은 9로 나누어떨어지지 않습니다.
따라서 약수와 배수의 관계가 아닌 것은 ㉡, ㉣, ㉤입니다.

15 답 105

$15\times6=90$, $15\times7=105$
90과 105 중 100에 더 가까운 수는 105이므로 15의 배수 중 100에 가장 가까운 수는 105입니다.

16 답 ③

$42=1\times42$, $42=3\times14$, $42=21\times2$, $84=42\times2$
따라서 42와 약수와 배수의 관계가 아닌 것은 ③ 9입니다.

17 답 예 2

1을 제외한 48의 약수는 2, 3, 4, 6, 8, 12, 16, 24, 48이고 48의 배수인 48, 96, 144 ⋯도 빈 곳에 올 수 있습니다.
따라서 빈 곳에 올 수 있는 수는 2, 3, 4, 6, 8, 12, 16, 24, 48, 96, 144 ⋯입니다.

18 답 3가지

12의 약수는 1, 2, 3, 4, 6, 12 총 6개이고 서로 곱하여 12가 또는 두 수를 짝 지어 보면 3쌍이 됩니다. 따라서 정사각형 12개로 만들 수 있는 서로 다른 직사각형은 모두 3가지입니다.

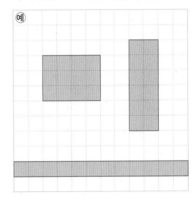

19 답 4

20의 약수는 1, 2, 4, 5, 10, 20입니다. 20의 약수 중에서 그 수의 약수를 모두 더하여 7이 되는 수를 구합니다.
4의 약수는 1, 2, 4이고 이를 더하면 7입니다.
따라서 두 조건을 만족하는 수는 4입니다.

20 답 4, 8, 12, 24

24의 약수는 1, 2, 3, 4, 6, 8, 12, 24입니다.
이 중에서 4의 배수를 구하면 4, 8, 12, 24입니다.

21 답 ㉠ 4, ㉡ 9

㉠과 ㉡의 곱이 36이므로 36의 약수를 구합니다.
36의 약수를 곱해서 36이 되도록 짝지으면
(1, 36), (2, 18), (3, 12), (4, 9), (6, 6)입니다.
이 쌍들 중에서 하나는 짝수이고 하나는 홀수인 수는 (1, 36), (3, 12), (4, 9)입니다.
홀수 ㉡이 짝수 ㉠보다 큰 수이므로 ㉡ 9, ㉠ 4입니다.

05 공약수와 최대공약수

p. 25~27

> 교과서 + 익힘책 유형

01 풀이 참조　**02** 3, 5, 3, 3, 6　**03** 14

04 6　　**05** 1, 3, 5, 15　**06** 30

07 ㉢

> 교과서 + 익힘책 응용 유형

08 4, 12, 32　　　**09** 1, 3, 5, 15　**10** ㉠

11 풀이 참조　　　**12** 3, 6, 12　**13** 32

14 초콜릿 7개, 사탕 9개

> 잘 틀리는 유형

15 5개　　**16** 9　　**17** 8

18 12명　　**19** 10그루　**20** 6

---

01 답 풀이 참조

⑴ 10의 약수 ⇨ 1, 2, 5, 10

⑵ 20의 약수 ⇨ 1, 2, 4, 5, 10, 20

⑶ 10과 20의 공약수 ⇨ 1, 2, 5, 10

⑷ 10과 20의 최대공약수 ⇨ 10

02 답 3, 5, 3, 3, 6

$30 = 2 \times 3 \times 5$

$36 = 2 \times 2 \times 3 \times 3$

최대공약수는 $2 \times 3 = 6$입니다.

03 답 14

$$2\,\underline{)\,28\quad 42\,}$$
$$7\,\underline{)\,14\quad 21\,}$$
$$\quad\;\;2\quad\;\;3$$

공약수로 나누면 공약수 2와 7의 곱인 14가 최대공약수가 됩니다.

04 답 6

18의 약수 ⇨ 1, 2, 3, 6, 9, 18

24의 약수 ⇨ 1, 2, 3, 4, 6, 8, 12, 24

18과 24의 최대공약수는 6입니다.

05 답 1, 3, 5, 15

45의 약수 ⇨ 1, 3, 5, 9, 15, 45

75의 약수 ⇨ 1, 3, 5, 15, 25, 75

45와 75의 공약수는 1, 3, 5, 15입니다.

06 답 30

곱셈식에서 최대공약수는 공통으로 들어 있는 수들의 곱입니다. 따라서 최대공약수는 $2 \times 3 \times 5 = 30$입니다.

07 답 ㉢

㉠ 12와 42의 최대공약수는 6입니다.

㉡ 54와 45의 최대공약수는 9입니다.

㉢ 60과 48의 최대공약수는 12입니다.

㉣ 15와 20의 최대공약수는 5입니다.

이 중 최대공약수가 가장 큰 것은 ㉢입니다.

08 답 4, 12, 32

84와 126의 최대공약수는 42이므로 42의 약수가 84와 126의 공약수입니다. 42의 약수는 1, 2, 3, 6, 7, 14, 21, 42입니다. 따라서 84와 126의 공약수가 아닌 수는 4, 12, 32입니다.

09 답 1, 3, 5, 15

어떤 두 수의 공약수는 두 수의 최대공약수의 약수와 같습니다. 따라서 두 수의 공약수는 15의 약수인 1, 3, 5, 15입니다.

10 답 ㉠

㉠ 24와 36의 최대공약수가 12이므로 두 수의 공약수는 12의 약수인 1, 2, 3, 4, 6, 12입니다. 따라서 공약수는 6개입니다.

㉡ 28과 32의 최대공약수가 4이므로 두 수의 공약수는 4의 약수인 1, 2, 4입니다. 따라서 공약수는 3개입니다.

㉢ 40과 56의 최대공약수가 8이므로 두 수의 공약수는 8의 약수인 1, 2, 4, 8입니다. 따라서 공약수는 4개입니다.

따라서 공약수가 가장 많은 것은 ㉠입니다.

11 답 풀이 참조

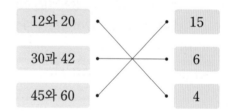

12 답 3, 6, 12

60과 108의 최대공약수는 12이므로 12의 약수가 60과 108의 공약수입니다. 12의 약수는 1, 2, 3, 4, 6, 12이고 이 중 3의 배수는 3, 6, 12입니다.

13 답 32

두 수의 공약수는 두 수의 최대공약수의 약수와 같습니다. 따라서 21의 약수를 구하면 됩니다. 21의 약수는 1, 3, 7, 21이고 그 합은 $1+3+7+21=32$입니다.

14 답 초콜릿 7개, 사탕 9개

초콜릿 56개와 사탕 72개를 남김없이 나누어줄 수 있는 학생의 수는 56과 72의 최대공약수와 같습니다. 56과 72의 최대공약수는 8이므로 초콜릿 56개를 8로 나누면 학생 한 명이 초콜릿을 7개씩 받을 수 있고, 사탕 72개를 8로 나누면 학생 한 명이 사탕을 9개씩 받을 수 있습니다.

15 답 5개

두 수의 최대공약수가 16일 때 두 수의 공약수는 최대공약수의 약수와 같습니다. 따라서 48과 어떤 수의 공약수는 16의 약수인 1, 2, 4, 8, 16으로 총 5개입니다.

16 답 9

54와 63 모두를 나누어떨어지게 하는 수는 54와 63의 공약수입니다. 54와 63의 최대공약수는 9이므로 54와 63을 나누어떨어지게 하는 수 중 가장 큰 수는 9입니다.

17 답 8

어떤 수로 나누었을 때 나머지가 생겼으므로 나머지를 0으로 만들기 위해 66에서 2를 빼고, 43에서 3을 뺍니다. 즉, 어떤 수 중에서 가장 큰 수는 64와 40의 최대공약수입니다. 64와 40의 최대공약수는 8이므로 어떤 수 중에서 가장 큰 수는 8입니다.

18 답 12명

부족한 것은 더해줍니다. 공책 21권은 3을 더하고 연필 54자루는 6을 더하면 나누어 주려고 하는 학생의 수는 24, 60의 최대공약수와 같습니다. 따라서 24와 60의 최대공약수는 12이므로 12명에게 나누어주려고 하였습니다.

19 답 10그루

같은 간격으로 나무를 심을 때 될 수 있는 대로 적게 심기 위해서는 72와 48의 최대공약수가 24이므로 24 m 간격으로 나무를 심으면 됩니다.
$72=24\times3$, $48=24\times2$이므로 꼭짓점을 제외하고 가로에는 나무를 2그루씩, 세로에는 1그루씩 심으면 됩니다. 직사각형의 꼭짓점에서는 4그루의 나무를 심을 수 있으므로 필요한 나무는 $2+1+2+1+4=10$(그루)입니다.

20 답 6

20과 28의 공약수는 1, 2, 4의 3개입니다.
63과 27의 공약수는 1, 3, 9의 3개입니다.
따라서 $20\otimes28=3$, $63\otimes27=3$이므로
㉠$=3+3=6$입니다.

06 공배수와 최소공배수

> 교과서 + 익힘책 유형

01 (1) 2, 4, 6, 8, 10　　(2) 3, 6, 9, 12, 18
　　(3) 6, 12, 18, 24, 30　(4) 6

02 2, 3, 90　　　**03** 112　　**04** 99

05 150, 300, 450　　**06** ㉢, ㉠, ㉡

> 교과서 + 익힘책 응용 유형

07 풀이 참조 **08** 60, 45　**09** 80, 100　**10** 4개

11 112　　**12** 96　　　**13** 72일 후 **14** 20장

> 잘 틀리는 유형

15 810　　　**16** 60분　　**17** 오전 8시

18 오후 2시 17분 30초　**19** 156개

20 30개월 뒤

02 답 2, 3, 90

두 수의 최소공배수는 곱셈식에 공통으로 들어 있는 수들의 곱에 나머지 수들을 모두 곱한 수입니다.
$30=2\times3\times5$, $45=3\times3\times5$이므로 30과 45의 최소공배수는 $2\times3\times3\times5=90$입니다.

03 답 112

16과 28의 최대공약수는 4이므로 4로 나누어봅니다.
따라서 최소공배수는 나눈 수와 몫의　4)16 28
곱인 $4\times4\times7=112$입니다.　　　　4　7

04 답 99

3과 9의 최소공배수는 9입니다. 9의 배수 중 100에 가까운 수에는 99와 108이 있습니다. 이 두 수 중에서 100에 좀 더 가까운 수는 99입니다.

05 답 150, 300, 450

어떤 두 수의 공배수는 두 수의 최소공배수의 배수와 같습니다. 따라서 어떤 두 수의 공배수들은 150의 배수와 같으므로 가장 작은 수부터 3개만 쓰면 150, 300, 450입니다.

06 답 ㉢, ㉠, ㉡

㉠ 16과 24의 최소공배수는 48입니다.
㉡ 15와 20의 최소공배수는 60입니다.
㉢ 9와 15의 최소공배수는 45입니다.

2. 약수와 배수　**9**

따라서 최소공배수가 가장 작은 것부터 차례대로 나열하면 ㉢, ㉠, ㉡입니다.

07 답 풀이 참조

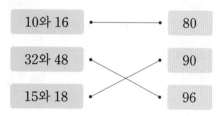

08 답 60, 45
어떤 수의 공배수는 두 수의 최소공배수의 배수와 같습니다. 따라서 어떤 두 수의 최소공배수가 15이므로 두 수의 공배수는 15의 배수인 60, 45입니다.

09 답 80, 100
㉮와 ㉯의 최소공배수는 $2 \times 2 \times 3 \times 5 = 60$이므로 이들의 공배수는 60의 배수 60, 120, 180……입니다. 따라서 60의 배수가 아닌 것은 80과 100입니다.

10 답 4개
어떤 두 수의 공배수는 두 수의 최소공배수의 배수와 같습니다. 8과 12의 최소공배수는 24이므로 24의 배수를 구하면 됩니다. 24의 배수이면서 두 자리 수는 24, 48, 72, 96으로 총 4개입니다.

11 답 112
4의 배수도 되고 14의 배수도 되는 수들은 4와 14의 공배수입니다. 4와 14의 최소공배수는 28입니다. 28의 배수는 28, 56, 84, 112……이므로 이 중에서 100과 가장 가까운 수는 112입니다.

12 답 96
어떤 두 수의 공배수는 두 수의 최소공배수인 24의 배수입니다. 가장 큰 두 자리 수를 구하기 위해 공배수를 나열하면 24, 48, 72, 96, 120……이므로 가장 큰 두 자리 수는 96입니다.

13 답 72일 후
18과 24의 최소공배수는 72이므로 지혜네 가족이 두 가지 일을 동시에 하는 날은 오늘로부터 72일 후입니다.

14 답 20장
직사각형 모양의 카드를 겹치지 않게 붙여서 될 수 있는 대로 작은 정사각형을 만들기 위해서는 정사각형의 한 변의 길이가 가로와 세로의 최소공배수이어야 합니다. 30과 24의 최소공배수는 120이므로 정사각형의 한 변의 길이는 120 cm가 됩니다.
따라서 정사각형에는 카드가 가로에는 $120 \div 30 = 4$(장), 세로에는 $120 \div 24 = 5$(장)이 들어가므로 총 필요한 카드는 $4 \times 5 = 20$(장)입니다.

15 답 810
54와 90으로 나누어떨어지는 수는 이 두 수의 공배수입니다. 54와 90의 최소공배수는 270이므로 270, 540, 810, 1080……이 54와 90의 공배수이고 이 중에서 가장 큰 세 자리 수는 810입니다.

16 답 60분
가 버스는 15분마다, 나 버스는 20분마다 출발합니다. 따라서 두 버스는 15와 20의 최소공배수인 60분마다 동시에 출발합니다.

17 답 오전 8시
두 버스는 60분, 즉 1시간 간격으로 동시에 출발합니다. 처음 같이 출발하는 시각은 오전 5시이므로 이후 동시에 출발하는 시각은 오전 6시, 오전 7시, 오전 8시, 오전 9시……입니다.
따라서 두 버스가 네 번째로 동시에 출발하는 시각은 오전 8시입니다.

18 답 오후 2시 17분 30초
㉮형광등은 다시 켜지는 데에 총 6초가 걸리고 ㉯형광등은 다시 켜지는 데에 10초가 걸립니다.
따라서 두 형광등은 6과 10의 최소공배수인 30초마다 함께 켜지고 35번째로 동시에 켜지기 위해서는 $30 \times 35 = 1050$(초)가 걸립니다. 1050초는 17분 30초와 같으므로 35번째로 동시에 켜지는 시각은 오후 2시 17분 30초입니다.

19 답 156개

200까지 자연수 중에서 6의 배수는 200을 6으로 나눈 몫인 33개가 있습니다. 200까지의 자연수 중에서 9의 배수는 200을 9로 나눈 몫인 22개가 있습니다. 그리고 이 두 수의 배수들 중에서 공배수가 한 번씩 겹칩니다. 6과 9의 공배수는 6과 9의 최소공배수인 18의 배수이고 200까지의 자연수 중에서 18의 배수의 개수는 200에서 18을 나눈 몫인 11개가 있습니다. 이를 정리하면 1부터 200까지 6 또는 9의 배수인 수의 개수는 33+22-11=44(개)입니다.
따라서 1부터 200까지 6의 배수도 9의 배수도 아닌 자연수는 200-44=156(개)입니다.

20 답 30개월 뒤

㉮기계는 6개월마다 안전 검사를 받고 ㉯기계는 10개월마다 안전 검사를 받습니다. 따라서 두 기계는 6과 10의 최소공배수인 30개월마다 동시에 검사를 받게 됩니다.

p. 32

배수 판별하기

[1] 2   [2] 2, 3   [3] 5   [4] 3
[5] 5   [6] 3, 5   [7] 2   [8] 2, 5
[9] 5   [10] 2

3 ⋮⋮ 규칙과 대응

07 두 양 사이의 관계

p. 35~37

> 교과서 + 익힘책 유형

01 4, 많습니다   **02** 2개   **03** 3개
04 4개   **05** 2, 4, 5   **06** 풀이 참조
07 풀이 참조   **08** 9살   **09** 32명

> 교과서 + 익힘책 응용 유형

10 40개   **11** 11, 적습니다
12 2000원   **13** 풀이 참조 **14** 풀이 참조
15 64개   **16** 14마리 **17** 60000원

> 잘 틀리는 유형

18 풀이 참조   **19** 풀이 참조
20 풀이 참조   **21** 풀이 참조
22 풀이 참조 **23** 오후 11시   **24** 12살

01 답 4, 많습니다

과자가 한 개씩 늘어날 때마다 사탕이 4개씩 늘어납니다.
따라서 사탕은 과자보다 4개 많습니다.

02 답 2개

리본을 한 번 자르면 2개가 됩니다.

03 답 3개

리본을 두 번 자르면 3개가 됩니다.

04 답 4개

리본을 세 번 자르면 4개가 됩니다.

05 답 2, 4, 5

자른 횟수(회)	1	2	3	4
리본 끈 수(개)	2	3	4	5

06 답 풀이 참조

두발자전거의 수(대)	4	5	6	7	8	9
두발자전거의 바퀴의 수(개)	8	10	12	14	16	18

두발자전거의 바퀴의 수는 두발자전거의 수보다 2배만큼 큽니다.

07 답 풀이 참조

동생의 나이는 준서의 나이보다 4살 적습니다. 또는 준서의 나이는 동생의 나이보다 4살 많습니다.

08 답 9살

준서가 동생보다 4살 많으므로 준서가 13살이 되면 동생은 9살이 됩니다.

09 답 32명

자동차 1대에 4명이 탈 수 있으므로 자동차 8대에는 $8 \times 4 = 32$(명)이 탈 수 있습니다.

10 답 40개

한 세트에 8개의 링이 들어 있으므로 5세트에는 $8 \times 5 = 40$(개)의 링이 들어 있습니다.

11 답 11, 적습니다

튤립은 장미꽃보다 11송이 적습니다.

12 답 2000원

정이가 가진 돈은 연우가 가진 돈의 3배입니다. 따라서 정이가 가진 돈이 6000원이면 연우가 가진 돈은 2000원입니다.

13 답 풀이 참조

스티커가 한 장에 250원이므로 스티커의 가격은 스티커의 수의 250배입니다. 따라서 스티커 7장의 가격은 $7 \times 250 = 1750$(원)입니다.

14 답 풀이 참조

문어 한 마리는 8개의 다리를 가지고 있으므로 이것을 표로 나타내면 다음과 같습니다.

문어의 수(마리)	1	2	3	4	5
다리의 수(개)	8	16	24	32	40

15 답 64개

문어 다리 수는 문어 수의 8배이므로 문어가 8마리일 때 문어 다리는 총 $8 \times 8 = 64$(개)입니다.

16 답 14마리

문어 한 마리의 다리는 8개이므로 문어 다리가 112개라면 문어는 총 $112 \div 8 = 14$(마리)가 있습니다.

17 답 60000원

1년은 12달입니다. 매달 5000원씩 저축을 하므로 1년 뒤의 저축 금액은 $5000 \times 12 = 60000$(원)입니다.

18 답 풀이 참조

식탁 1개는 4개의 의자를 가지고 있으므로 이것을 표로 나타내면 다음과 같습니다.

식탁의 수(개)	1	2	3	4	5
의자의 수(개)	4	8	12	16	20

19 답 풀이 참조

의자의 수는 식탁의 수의 4배입니다. 또는 의자의 수를 4로 나누면 식탁의 수와 같습니다.

20 답 풀이 참조

동화책의 수는 위인전의 수의 2배보다 1만큼 더 크므로 이것을 표로 나타내면 다음과 같습니다.

위인전의 수(권)	1	2	3	4	5
동화책의 수(권)	3	5	7	9	11

21 답 풀이 참조

한 개의 모양은 4개의 쌓기나무로 만들어지므로 이것을 표로 나타내면 다음과 같습니다.

모양 수(개)	1	2	3	4	5
쌓기나무 수(개)	4	8	12	16	20

쌓기나무 수는 모양 수의 4배입니다. 또는 쌓기나무 수를 4로 나누면 모양 수와 같습니다.

22 답 풀이 참조

오후 3시는 15시로 표시할 수 있습니다. 서울이 오후 3시일 때 뉴욕은 오전 2시이므로 13시간의 시차가 있습니다. 따라서 뉴욕 시각에 13시간을 더하면 서울 시각이 됩니다. 또는 서울 시각에서 13시간을 빼면 뉴욕 시각이 됩니다.

23 답 오후 11시

뉴욕이 오전 10시이면 서울은 $10 + 13 = 23$ 따라서 오후 11시입니다.

24 답 12살

2013−2008＝5이므로 수진이는 동생보다 5살 많습니다.

따라서 수진이가 17살이 되면 동생은 12살이 됩니다.

08 대응 관계를 식으로 나타내기

p. 39~41

> 교과서 + 익힘책 유형

01 풀이 참조 **02** 풀이 참조 **03** 풀이 참조 **04** 34

05 풀이 참조　　　　　**06** 8장

> 교과서 + 익힘책 응용 유형

07 풀이 참조　　　　　**08** 4, 8, 12, 16, 20

09 풀이 참조　　　　　**10** 23문제

11 풀이 참조 **12** 7, 9, 11 **13** 25개

> 잘 틀리는 유형

14 풀이 참조 **15** 풀이 참조 **16** 풀이 참조

17 45 m　　**18** 풀이 참조 **19** 풀이 참조

20 풀이 참조　　　　　**21** 63개, 45000원

01 답 풀이 참조

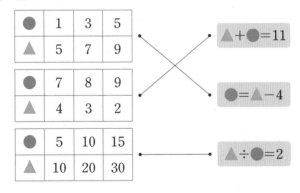

02 답 풀이 참조

대응관계를 식으로 나타내면

(수현이의 연필 수)÷3＝(미정이의 연필 수)

또는 (미정이의 연필 수)×3＝(수현이의 연필 수)

03 답 풀이 참조

정육각형의 수(개)	1	2	3	4	5
변의 수(개)	6	12	18	24	30

따라서 (변의 수)÷6＝(정육각형의 수) 또는

(정육각형의 수)×6＝(변의 수)입니다.

04 답 34

♥＋18＝◈이므로 ♥가 16일 때

16＋18＝34입니다.

05 답 풀이 참조

색종이 한 장으로 딱지를 5개 만들 수 있으므로

■×5＝● 또는 ●÷5＝■입니다.

06 답 8장

딱지가 40개 있으므로

40＝■×5, ■＝8

따라서 색종이는 8장 사용했습니다.

07 답 풀이 참조

팔찌 1개를 만드는 데에 유리구슬이 18개 필요하므로

(팔찌의 수)×18＝(유리구슬의 수) 또는

(유리구슬의 수)÷18＝(팔찌의 수)입니다.

따라서 8×18＝144이므로 팔찌를 8개 만들기 위해

유리구슬은 144개 필요합니다.

08 답 4, 8, 12, 16, 20

문제 수(개)	1	2	3	4	5
점수(점)	4	8	12	16	20

09 답 풀이 참조

한 문제에 4점이므로 (문제 수)×4＝(점수) 또는

(점수)÷4＝(문제 수)입니다.

10 답 23문제

(문제 수)×4＝(점수)이므로 (문제 수)×4＝92,

(문제 수)＝23.

따라서 92점을 맞으려면 23문제를 맞추어야 합니다

11 답 풀이 참조

달팽이가 1분에 15 m씩 움직이므로

(움직인 시간)×15＝(거리) 또는

(거리)÷15＝(움직인 시간)입니다.

12 답 7, 9, 11

삼각형의 수(개)	1	2	3	4	5
성냥개비의 수(개)	3	5	7	9	11

13 답 25개

(삼각형의 수)×2+1=(성냥개비 수)이므로
(삼각형의 수)×2+1=51,
(삼각형의 수)=25

따라서 성냥개비 51개로 만들 수 있는 삼각형은 25개입니다

14 답 풀이 참조

단계에 따라 표를 완성한 뒤 대응 관계를 확인합니다.

단계	1	2	3	4	5	6
검은색 바둑돌의 수(개)	2	3	4	5	6	7
전체 바둑돌의 수(개)	4	8	12	16	20	24

단계가 하나씩 늘어날 때마다 검은색 바둑돌은 2개에서 하나씩 늘어나므로
(단계)+1=(검은색 바둑돌의 수) 또는
(검은색 바둑돌의 수)−1=(단계)입니다.

15 답 풀이 참조

전체 바둑돌의 수는 단계의 4배이므로
(전체 바둑돌의 수)÷4=(단계) 또는
(단계)×4=(전체 바둑돌의 수)입니다.

16 답 풀이 참조

표를 완성한 뒤 대응 관계를 확인합니다.

나무 수(그루)	1	2	3	4	5
나무 사이의 간격 수(개)	0	1	2	3	4

나무 사이의 간격의 수는 나무 수보다 1씩 작으므로
(나무 수)−1=(나무 사이의 간격 수) 또는
(나무 사이의 간격 수)+1=(나무 수)입니다.

17 답 45 m

나무를 2그루 심으면 나무 사이의 간격이 1개이므로
도로 길이는 5×1=5(m),
나무를 3그루 심으면 나무 사이의 간격이 2개이므로
도로 길이는 5×2=10(m),
나무를 4그루 심으면 나무 사이의 간격이 3개이므로
도로 길이는 5×3=15(m),
나무를 5그루 심으면 나무 사이의 간격이 4개이므로
도로 길이는 5×4=20(m)이므로
5×(나무 수−1)=(도로 길이)입니다.
따라서 나무를 10그루를 심으면 도로 길이는
5×(10−1)=45(m)입니다.

18 답 풀이 참조

봉지 수(개)	1	2	3	4	5	6
참외 수(개)	7	14	21	28	35	42
가격 (원)	5000	10000	15000	20000	25000	30000

19 답 풀이 참조

참외 수는 봉지 수의 7배이므로
(참외 수)÷7=(봉지 수) 또는
(봉지 수)×7=(참외 수)입니다.

20 답 풀이 참조

참외 한 봉지에 5000원이므로
(봉지 수)×5000=(가격) 또는
(가격)÷5000=(봉지 수)입니다.

21 답 63개, 45000원

(참외 수)=(봉지 수)×7이므로 9봉지의 참외는
9×7=63(개)입니다.
(봉지 수)×5000=(가격)이므로 9봉지의 가격은
9×5000=45000(원)입니다.

도형에서 규칙과 대응 알아보기

[1] 답 ■=▲×2−1

[2] 답 ♣=▲×▲

[3] 답 첫 번째 블록은 1개이고, 블록을 쌓을 때마다 총 2개씩 늘어나므로 ▲와 ■ 사이의 대응 관계를 나타낸 것입니다.

[4] 답 첫 번째 블록은 1개, 두 번째 블록은 2×2=4(개), 세 번째 블록은 3×3=9(개), 네 번째 블록은 4×4=16(개)이므로 ▲와 ♣ 사이의 대응 관계를 나타낸 것입니다.

4 ::: 약분과 통분

09 크기가 같은 분수

p. 45~47

> 교과서 + 익힘책 유형

01 풀이 참조 **02** 풀이 참조
03 (1) 20 (2) 54 (3) 5 (4) 5 **04** ㉡, ㉢, ㉤ **05** ㉢
06 풀이 참조 **07** 풀이 참조

> 교과서 + 익힘책 응용 유형

08 (왼쪽부터) 5, 16, 60 **09** 3개 **10** 36
11 ㉠, ㉣ **12** ㉡, ㉢, ㉤
13 $\dfrac{4}{18}$, $\dfrac{6}{27}$, $\dfrac{8}{36}$, $\dfrac{10}{45}$, $\dfrac{12}{54}$ **14** $\dfrac{17}{25}$
15 435

> 잘 틀리는 유형

16 $\dfrac{36}{48}$ **17** 5개 **18** $\dfrac{8}{48}$
19 $\dfrac{16}{40}$ **20** $\dfrac{28}{36}$ **21** 15

01 답 풀이 참조

20의 $\dfrac{2}{5}$

20의 $\dfrac{4}{10}$

색칠한 부분의 크기가 같으므로 두 분수의 크기는 같습니다.

02 답 풀이 참조

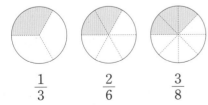

$\dfrac{1}{3}$ $\dfrac{2}{6}$ $\dfrac{3}{8}$

$\dfrac{2}{6}$의 분자와 분모를 2로 나누면 $\dfrac{1}{3}$이므로 $\dfrac{1}{3}$과 $\dfrac{2}{6}$는 크기가 같습니다.

03 답 (1) 20 (2) 54 (3) 5 (4) 5

(1) 분모에 5를 곱했으므로 분자에도 5를 곱해줍니다.
  ⇨ 20

(2) 분모에 6을 곱했으므로 분자에도 6을 곱해줍니다.
  ⇨ 54

(3) 분모를 5로 나누었으므로 분자도 5로 나눠줍니다.
  ⇨ 5

(4) 분모를 3으로 나누었으므로 분자도 3으로 나눠줍니다. ⇨ 5

04 답 ㉡, ㉢, ㉤

$\dfrac{7}{35}$의 분자와 분모를 5로 나누면 $\dfrac{1}{5}$이므로 보기에서 분자와 분모를 0이 아닌 같은 수로 나누어 $\dfrac{1}{5}$이 되는 수들을 찾습니다.

㉡은 $\dfrac{1}{5}$이므로 맞습니다.

㉢은 $\dfrac{14}{70} = \dfrac{1}{5}$이므로 맞습니다.

㉣은 $\dfrac{4}{18} = \dfrac{2}{9}$이므로 아닙니다.

㉤은 $\dfrac{21}{105} = \dfrac{1}{5}$이므로 맞습니다.

따라서 $\dfrac{7}{35}$과 같은 크기의 분수는 ㉡, ㉢, ㉤입니다.

05 답 ㉢

㉡의 분자와 분모를 3으로 나누면 $\dfrac{4}{7}$입니다.

㉢의 분자와 분모를 2로 나누면 $\dfrac{3}{7}$입니다.

㉣의 분자와 분모를 4로 나누면 $\dfrac{4}{7}$입니다.

㉤의 분자와 분모를 8로 나누면 $\dfrac{4}{7}$입니다.

따라서 나머지 넷과 크기가 다른 하나는 ㉢입니다.

06 답 풀이 참조

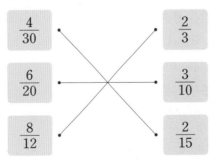

$\dfrac{4}{30}$의 분자와 분모를 2로 나누면 $\dfrac{2}{15}$입니다.

$\dfrac{6}{20}$의 분자와 분모를 2로 나누면 $\dfrac{3}{10}$입니다.

$\dfrac{8}{12}$의 분자와 분모를 4로 나누면 $\dfrac{2}{3}$입니다.

07 답 풀이 참조

$\dfrac{5}{8}$, $\dfrac{20}{24}$	$\dfrac{4}{7}$, $\dfrac{16}{35}$	$\dfrac{1}{11}$, $\dfrac{2}{22}$
(○)	(○)	( )

$\dfrac{20}{24}$의 분모와 분자를 4로 나누면 $\dfrac{5}{6}$입니다. 따라서

$\dfrac{5}{8}$와 $\dfrac{20}{24}$은 크기가 같지 않습니다.

$\dfrac{4}{7}$의 분모와 분자에 5를 곱하면 $\dfrac{20}{35}$입니다. 따라서

$\dfrac{4}{7}$와 $\dfrac{16}{35}$은 크기가 같지 않습니다.

$\dfrac{1}{11}$의 분모와 분자에 2를 곱하면 $\dfrac{2}{22}$입니다. 따라서

$\dfrac{1}{11}$과 $\dfrac{2}{22}$는 크기가 같습니다.

08 답 (왼쪽부터) 5, 16, 60

$\dfrac{30 \div 6}{48 \div 6} = \dfrac{5}{8}$, $\dfrac{30 \div 3}{48 \div 3} = \dfrac{10}{16}$, $\dfrac{30 \times 2}{48 \times 2} = \dfrac{60}{96}$

09 답 3개

분수의 분자와 분모에 0이 아닌 같은 수를 곱하거나

나누어 $\dfrac{18}{30}$과 크기가 같은 분수를 구합니다.

$\dfrac{18 \div 2}{30 \div 2} = \dfrac{9}{15}$, $\dfrac{18 \times 2}{30 \times 2} = \dfrac{36}{60}$, $\dfrac{18 \times 3}{30 \times 3} = \dfrac{54}{90}$

따라서 크기가 같으면서 분모가 10보다 크고 100보

다 작은 분수는 총 3개입니다.

10 답 36

$\dfrac{3 \times 12}{4 \times 12} = \dfrac{36}{48}$

따라서 $\dfrac{3}{4}$은 $\dfrac{36}{48}$과 크기가 같으므로 $\dfrac{1}{48}$이 36개가

모인 수입니다.

11 답 ㉠, ㉣

크기가 같은 분수를 만들려면 분수의 분자와 분모에

0이 아닌 같은 수를 곱하거나 나누어야 합니다.

12 답 ㉡, ㉢, ㉤

분수의 분자와 분모에 0이 아닌 같은 수를 곱하거나

나누어 $\dfrac{48}{72}$과 크기가 같은 분수를 구합니다.

$\dfrac{48}{72} = \dfrac{48 \div 8}{72 \div 8} = \dfrac{6}{9}$, $\dfrac{48}{72} = \dfrac{48 \times 2}{72 \times 2} = \dfrac{96}{144}$,

$\dfrac{48}{72} = \dfrac{48 \div 6}{72 \div 6} = \dfrac{8}{12}$

따라서 크기가 같은 분수는 ㉡, ㉢, ㉤입니다.

13 답 $\dfrac{4}{18}$, $\dfrac{6}{27}$, $\dfrac{8}{36}$, $\dfrac{10}{45}$, $\dfrac{12}{54}$

분수의 분자와 분모에 0이 아닌 같은 수를 곱하여 $\dfrac{2}{9}$

와 크기가 같은 분수를 구합니다.

$\dfrac{2 \times 2}{9 \times 2} = \dfrac{4}{18}$, $\dfrac{2 \times 3}{9 \times 3} = \dfrac{6}{27}$, $\dfrac{2 \times 4}{9 \times 4} = \dfrac{8}{36}$

$\dfrac{2 \times 5}{9 \times 5} = \dfrac{10}{45}$, $\dfrac{2 \times 6}{9 \times 6} = \dfrac{12}{54}$

따라서 분모가 가장 작은 수부터 쓰면 $\dfrac{4}{18}$, $\dfrac{6}{27}$, $\dfrac{8}{36}$,

$\dfrac{10}{45}$, $\dfrac{12}{54}$입니다.

14 답 $\dfrac{17}{25}$

68＝17×4이므로 분모와 분자를 4로 나눕니다.

$\dfrac{68}{100} = \dfrac{68 \div 4}{100 \div 4} = \dfrac{17}{25}$

따라서 $\dfrac{68}{100}$과 크기가 같으면서 분자가 17인 분수는

$\dfrac{17}{25}$입니다.

15 답 435

$\dfrac{6}{8} = \dfrac{6 \div 2}{8 \div 2} = \dfrac{3}{4}$, $\dfrac{6}{8} = \dfrac{3 \times 3}{4 \times 3} = \dfrac{9}{12}$,

$\dfrac{6}{8} = \dfrac{6 \times 6}{8 \times 6} = \dfrac{36}{48}$

따라서 ㉠＝3, ㉡＝9, ㉢＝48이므로

㉠＋㉡×㉢＝435입니다.

16 답 $\dfrac{36}{48}$

$\dfrac{9}{12}$의 분자와 분모를 3으로 나누면 $\dfrac{3}{4}$이므로 분모

가 가장 작은 수는 $\dfrac{3}{4}$입니다.

따라서 분모, 분자에 같은 수인 2, 3, 4……를 순서

대로 곱하면 $\dfrac{3}{4}$, $\dfrac{9}{12}$, $\dfrac{18}{24}$, $\dfrac{27}{36}$, $\dfrac{36}{48}$ ……이므로 5

번째에 오는 분수는 $\dfrac{36}{48}$입니다.

17 답 5개

분수의 분자와 분모에 0이 아닌 같은 수를 곱합니다.

$\dfrac{5}{16} = \dfrac{5 \times 2}{16 \times 2} = \dfrac{10}{32}$, $\dfrac{5}{16} = \dfrac{5 \times 3}{16 \times 3} = \dfrac{15}{48}$,

$\dfrac{5}{16} = \dfrac{5 \times 4}{16 \times 4} = \dfrac{20}{64}$, $\dfrac{5}{16} = \dfrac{5 \times 5}{16 \times 5} = \dfrac{25}{80}$,

$\dfrac{5}{16} = \dfrac{5 \times 6}{16 \times 6} = \dfrac{30}{96}$

따라서 총 5개입니다.

18 답 $\dfrac{8}{48}$

분수의 분자와 분모에 0이 아닌 같은 수를 곱합니다.

㉠ $\dfrac{1}{6}=\dfrac{1\times2}{6\times2}=\dfrac{2}{12}$, $\dfrac{1}{6}=\dfrac{1\times3}{6\times3}=\dfrac{3}{18}$,

$\dfrac{1}{6}=\dfrac{1\times4}{6\times4}=\dfrac{4}{24}$, $\dfrac{1}{6}=\dfrac{1\times5}{6\times5}=\dfrac{5}{30}$,

$\dfrac{1}{6}=\dfrac{1\times6}{6\times6}=\dfrac{6}{36}$, $\dfrac{1}{6}=\dfrac{1\times7}{6\times7}=\dfrac{7}{42}$,

$\dfrac{1}{6}=\dfrac{1\times8}{6\times8}=\dfrac{8}{48}$, $\dfrac{1}{6}=\dfrac{1\times9}{6\times9}=\dfrac{9}{54}$……

㉡ 분모가 50보다 작은 분수는 $\dfrac{1}{6}$, $\dfrac{2}{12}$, $\dfrac{3}{18}$, $\dfrac{4}{24}$,

$\dfrac{5}{30}$, $\dfrac{6}{36}$, $\dfrac{7}{42}$, $\dfrac{8}{48}$

따라서 ㉠과 ㉡을 동시에 만족하는 분수 중 분모가 가

장 큰 분수는 $\dfrac{8}{48}$입니다.

19 답 $\dfrac{16}{40}$

40=5×8이므로 분모와 분자에 8을 곱합니다.

$\dfrac{2}{5}=\dfrac{2\times8}{5\times8}=\dfrac{16}{40}$이므로 $\dfrac{2}{5}$와 크기가 같으면서 분모

가 40인 분수는 $\dfrac{16}{40}$입니다.

20 답 $\dfrac{28}{36}$

분수의 분자와 분모에 0이 아닌 같은 수를 곱합니다.

㉠ $\dfrac{7}{9}=\dfrac{7\times2}{9\times2}=\dfrac{14}{18}$, $\dfrac{7}{9}=\dfrac{7\times3}{9\times3}=\dfrac{21}{27}$,

$\dfrac{7}{9}=\dfrac{7\times4}{9\times4}=\dfrac{28}{36}$, $\dfrac{7}{9}=\dfrac{7\times5}{9\times5}=\dfrac{35}{45}$

㉡ 분모와 분자의 합이 64인 분수를 찾습니다.

$\dfrac{7}{9}\Rightarrow 7+9=16$

$\dfrac{14}{18}\Rightarrow 14+18=32$

$\dfrac{21}{27}\Rightarrow 21+27=48$

$\dfrac{28}{36}\Rightarrow 28+36=64$

$\dfrac{35}{45}\Rightarrow 35+45=80$

따라서 ㉠과 ㉡을 만족하는 분수는 $\dfrac{28}{36}$입니다.

21 답 15

$\dfrac{13+㉡}{17+㉠}=\dfrac{4}{5}$

$\dfrac{4}{5}=\dfrac{4\times4}{5\times4}=\dfrac{16}{20}=\dfrac{13+3}{17+3}$

$\dfrac{4}{5}=\dfrac{4\times5}{5\times5}=\dfrac{20}{25}=\dfrac{13+7}{17+8}$

㉠과 ㉡은 10 이하의 서로 다른 자연수이므로 ㉠=8,
㉡=7이고 ㉠+㉡=15입니다.

10 약분, 통분

> 교과서 + 익힘책 유형

01 21, 21, 21, 3   **02** ㉡, ㉢

03 (1) $\dfrac{5}{7}$ (2) $\dfrac{5}{11}$ (3) $\dfrac{2}{5}$ (4) $\dfrac{1}{3}$ (5) $\dfrac{3}{4}$

04 (1) 32, 14 (2) 9, 12   **05** 풀이 참조

06 풀이 참조 **07** ㉠, ㉢

> 교과서 + 익힘책 응용 유형

08 (1) $\left(\dfrac{32}{36},\ \dfrac{27}{36}\right)$ (2) $\left(\dfrac{15}{35},\ \dfrac{28}{35}\right)$

(3) $\left(\dfrac{40}{48},\ \dfrac{42}{48}\right)$ (4) $\left(\dfrac{15}{48},\ \dfrac{16}{48}\right)$

09 ㉡, ㉣, ㉤

10 (1) $\left(\dfrac{25}{30},\ \dfrac{24}{30}\right)$ (2) $\left(\dfrac{36}{48},\ \dfrac{21}{48}\right)$

(3) $\left(\dfrac{15}{24},\ \dfrac{14}{24}\right)$ (4) $\left(\dfrac{33}{72},\ \dfrac{18}{72}\right)$

11 $\dfrac{3}{4}$, $\dfrac{5}{6}$

12 풀이 참조 **13** 풀이 참조 **14** 예 84, 168, 252

> 잘 틀리는 유형

15 $\dfrac{21}{35}$ **16** $\dfrac{75}{135}$, $\dfrac{108}{135}$ **17** 6개

18 $\dfrac{16}{36}$, $\dfrac{17}{36}$, $\dfrac{18}{36}$, $\dfrac{19}{36}$

19 1, 2, 4, 7, 8, 11, 13, 14   **20** $\dfrac{24}{84}$

01 답 21, 21, 21, 3

21과 63의 최대공약수: 21

$\dfrac{21}{63}=\dfrac{21\div21}{63\div21}=\dfrac{1}{3}$

02 답 ㉡, ㉢

약분이 가능하려면 분모, 분자의 공약수여야 합니다.

36과 72의 공약수: 1, 2, 3, 4, 6, 9, 12, 18, 36

따라서 5와 8로 $\dfrac{36}{72}$ 을 약분할 수 없습니다.

03 답 (1) $\dfrac{5}{7}$ (2) $\dfrac{5}{11}$ (3) $\dfrac{2}{5}$ (4) $\dfrac{1}{3}$ (5) $\dfrac{3}{4}$

(1) 20과 28의 최대공약수는 4입니다.

$$\dfrac{20}{28}=\dfrac{20\div4}{28\div4}=\dfrac{5}{7}$$

(2) 15와 33의 최대공약수는 3입니다.

$$\dfrac{15}{33}=\dfrac{15\div3}{33\div3}=\dfrac{5}{11}$$

(3) 16과 40의 최대공약수는 8입니다.

$$\dfrac{16}{40}=\dfrac{16\div8}{40\div8}=\dfrac{2}{5}$$

(4) 18과 54의 최대공약수는 18입니다.

$$\dfrac{18}{54}=\dfrac{18\div18}{54\div18}=\dfrac{1}{3}$$

(5) 45와 60의 최대공약수는 15입니다.

$$\dfrac{45}{60}=\dfrac{45\div15}{60\div15}=\dfrac{3}{4}$$

04 답 (1) 32, 14 (2) 9, 12

(1) $\left(\dfrac{8}{15},\dfrac{7}{30}\right)\Rightarrow\left(\dfrac{8\times4}{15\times4},\dfrac{7\times2}{30\times2}\right)\Rightarrow\left(\dfrac{32}{60},\dfrac{14}{60}\right)$

(2) $\left(\dfrac{3}{14},\dfrac{6}{21}\right)\Rightarrow\left(\dfrac{3\times3}{14\times3},\dfrac{6\times2}{21\times2}\right)\Rightarrow\left(\dfrac{9}{42},\dfrac{12}{42}\right)$

05 답 풀이 참조

$\dfrac{2}{8}$	$\dfrac{3}{17}$	$\dfrac{1}{11}$
( )	(○)	(○)

$\dfrac{2}{8}$ 는 2로 약분되므로 기약분수가 아닙니다.

06 답 풀이 참조

$\left(\dfrac{4}{9},\dfrac{1}{3}\right)$ —— $\left(\dfrac{4}{9},\dfrac{3}{9}\right)$

$\left(\dfrac{3}{4},\dfrac{2}{7}\right)$ —— $\left(\dfrac{21}{28},\dfrac{8}{28}\right)$

$\left(\dfrac{1}{6},\dfrac{5}{8}\right)$ —— $\left(\dfrac{4}{24},\dfrac{15}{24}\right)$

$\left(\dfrac{4}{9},\dfrac{1}{3}\right)\Rightarrow\left(\dfrac{4}{9},\dfrac{1\times3}{3\times3}\right)\Rightarrow\left(\dfrac{4}{9},\dfrac{3}{9}\right)$

$\left(\dfrac{3}{4},\dfrac{2}{7}\right)\Rightarrow\left(\dfrac{3\times7}{4\times7},\dfrac{2\times4}{7\times4}\right)\Rightarrow\left(\dfrac{21}{28},\dfrac{8}{28}\right)$

$\left(\dfrac{1}{6},\dfrac{5}{8}\right)\Rightarrow\left(\dfrac{1\times4}{6\times4},\dfrac{5\times3}{8\times3}\right)\Rightarrow\left(\dfrac{4}{24},\dfrac{15}{24}\right)$

07 답 ㉠, ㉢

통분이 가능하려면 공통분모는 두 분수의 분모의 공배수이어야 합니다. 16과 12의 최소공배수는 48이므로 분모를 48의 배수로 통분할 수 있습니다.

따라서 공통분모가 될 수 있는 수는 ㉠ 48, ㉢ 96입니다.

08 답 (1) $\left(\dfrac{32}{36},\dfrac{27}{36}\right)$ (2) $\left(\dfrac{15}{35},\dfrac{28}{35}\right)$ (3) $\left(\dfrac{40}{48},\dfrac{42}{48}\right)$

(4) $\left(\dfrac{15}{48},\dfrac{16}{48}\right)$

(1) $\left(\dfrac{8}{9},\dfrac{3}{4}\right)\Rightarrow\left(\dfrac{8\times4}{9\times4},\dfrac{3\times9}{4\times9}\right)\Rightarrow\left(\dfrac{32}{36},\dfrac{27}{36}\right)$

(2) $\left(\dfrac{3}{7},\dfrac{4}{5}\right)\Rightarrow\left(\dfrac{3\times5}{7\times5},\dfrac{4\times7}{5\times7}\right)\Rightarrow\left(\dfrac{15}{35},\dfrac{28}{35}\right)$

(3) $\left(\dfrac{5}{6},\dfrac{7}{8}\right)\Rightarrow\left(\dfrac{5\times8}{6\times8},\dfrac{7\times6}{8\times6}\right)\Rightarrow\left(\dfrac{40}{48},\dfrac{42}{48}\right)$

(4) $\left(\dfrac{5}{16},\dfrac{1}{3}\right)\Rightarrow\left(\dfrac{5\times3}{16\times3},\dfrac{1\times16}{3\times16}\right)\Rightarrow\left(\dfrac{15}{48},\dfrac{16}{48}\right)$

09 답 ㉡, ㉣, ㉤

기약분수는 분자와 분모의 공약수가 1인 분수입니다.

㉠에서 14와 24의 최대공약수는 2이므로 기약분수가 아닙니다.

㉢에서 10과 32의 최대공약수는 2이므로 기약분수가 아닙니다.

따라서 기약분수인 것은 ㉡, ㉣, ㉤입니다.

10 답 (1) $\left(\dfrac{25}{30},\dfrac{24}{30}\right)$ (2) $\left(\dfrac{36}{48},\dfrac{21}{48}\right)$ (3) $\left(\dfrac{15}{24},\dfrac{14}{24}\right)$

(4) $\left(\dfrac{33}{72},\dfrac{18}{72}\right)$

(1) 6과 5의 최소공배수는 30입니다.

$\left(\dfrac{5}{6},\dfrac{4}{5}\right)\Rightarrow\left(\dfrac{5\times5}{6\times5},\dfrac{4\times6}{5\times6}\right)\Rightarrow\left(\dfrac{25}{30},\dfrac{24}{30}\right)$

(2) 12와 16의 최소공배수는 48입니다.

$\left(\dfrac{9}{12},\dfrac{7}{16}\right)\Rightarrow\left(\dfrac{9\times4}{12\times4},\dfrac{7\times3}{16\times3}\right)\Rightarrow\left(\dfrac{36}{48},\dfrac{21}{48}\right)$

(3) 8과 12의 최소공배수는 24입니다.

$\left(\dfrac{5}{8},\dfrac{7}{12}\right)\Rightarrow\left(\dfrac{5\times3}{8\times3},\dfrac{7\times2}{12\times2}\right)\Rightarrow\left(\dfrac{15}{24},\dfrac{14}{24}\right)$

(4) 24와 36의 최소공배수는 72입니다.

$\left(\dfrac{11}{24},\dfrac{9}{36}\right)\Rightarrow\left(\dfrac{11\times3}{24\times3},\dfrac{9\times2}{36\times2}\right)\Rightarrow\left(\dfrac{33}{72},\dfrac{18}{72}\right)$

11 답 $\frac{3}{4}$, $\frac{5}{6}$

$\frac{9 \div 3}{12 \div 3} = \frac{3}{4}$, $\frac{10 \div 2}{12 \div 2} = \frac{5}{6}$

따라서 통분하기 전의 두 기약분수는 $\frac{3}{4}$, $\frac{5}{6}$ 입니다.

12 답 풀이 참조

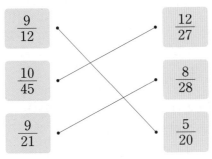

$\frac{9}{12} = \frac{9 \div 3}{12 \div 3} = \frac{3}{4}$, $\frac{5}{20} = \frac{5 \div 5}{20 \div 5} = \frac{1}{4}$,

$\frac{10}{45} = \frac{10 \div 5}{45 \div 5} = \frac{2}{9}$, $\frac{12}{27} = \frac{12 \div 3}{27 \div 3} = \frac{4}{9}$,

$\frac{9}{21} = \frac{9 \div 3}{21 \div 3} = \frac{3}{7}$, $\frac{8}{28} = \frac{8 \div 4}{28 \div 4} = \frac{2}{7}$

13 답 풀이 참조

$\frac{12}{28}$	$\frac{15}{18}$	$\frac{32}{40}$
( )	(○)	( )

$\frac{12}{28} = \frac{12 \div 4}{28 \div 4} = \frac{3}{7}$, $\frac{15}{18} = \frac{15 \div 3}{18 \div 3} = \frac{5}{6}$,

$\frac{32}{40} = \frac{32 \div 8}{40 \div 8} = \frac{4}{5}$

기약분수의 분자가 가장 큰 것은 $\frac{15}{18}$ 입니다.

14 답 예 84, 168, 252

공통분모는 두 분모의 최소공배수의 배수이므로 12와 28의 최소공배수인 84의 배수 중 3가지를 쓰면 됩니다.

따라서 $84 \times 1 = 84$, $84 \times 2 = 168$, $84 \times 3 = 252$가 공통분모가 될 수 있습니다.

15 답 $\frac{21}{35}$

$\frac{3}{5}$ 과 크기가 같은 분수를 찾아봅시다.

$\frac{3}{5} = \frac{6}{10} = \frac{9}{15} = \frac{12}{20} = \frac{15}{25} = \frac{18}{30} = \frac{21}{35}$ ......

이중에서 분모와 분자의 합이 56인 분수는 $\frac{21}{35}$ 입니다.

16 답 $\frac{75}{135}$, $\frac{108}{135}$

9와 5의 최소공배수는 45이므로 45의 배수를 구해보면 됩니다.

따라서 공통분모가 될 수 있는 수 중 세 번째로 작은 수는 $45 \times 3 = 135$이고 통분하면 다음과 같습니다.

$\left(\frac{5}{9}, \frac{4}{5} \right) \Rightarrow \left(\frac{5 \times 5}{9 \times 15}, \frac{4 \times 27}{5 \times 27} \right) \Rightarrow \left(\frac{75}{135}, \frac{108}{135} \right)$

17 답 6개

18보다 작은 수 중에서 18과 공약수가 1뿐인 수는 1, 7, 11, 13, 17입니다.

따라서 $\frac{1}{18}$, $\frac{2}{18}$, $\frac{3}{18}$ ...... $\frac{17}{18}$ 중 기약분수는

$\frac{1}{18}$, $\frac{5}{18}$, $\frac{7}{18}$, $\frac{11}{18}$, $\frac{13}{18}$, $\frac{17}{18}$ 의 6개입니다.

18 답 $\frac{16}{36}$, $\frac{17}{36}$, $\frac{18}{36}$, $\frac{19}{36}$

$\frac{5}{12}$ 와 $\frac{5}{9}$ 의 분모를 36으로 통분하면

$\left(\frac{5}{12}, \frac{5}{9} \right) \Rightarrow \left(\frac{5 \times 3}{12 \times 3}, \frac{5 \times 4}{9 \times 4} \right) \Rightarrow \left(\frac{15}{36}, \frac{20}{36} \right)$

이 사이에 있는 분수는 $\frac{16}{36}$, $\frac{17}{36}$, $\frac{18}{36}$, $\frac{19}{36}$ 입니다.

19 답 1, 2, 4, 7, 8, 11, 13, 14

15보다 작은 수 중에서 15와 공약수가 1뿐인 수는 1, 2, 4, 7, 8, 11, 13, 14입니다.

따라서 □ 안에 들어갈 수 있는 수는 1, 2, 4, 7, 8, 11, 13, 14입니다.

20 답 $\frac{24}{84}$

$84 = 7 \times 12$입니다. 따라서 $\frac{2}{7}$ 의 분자와 분모에 12를 곱하면 $\frac{2}{7} = \frac{2 \times 12}{7 \times 12} = \frac{24}{84}$ 입니다.

즉, 분모가 84인 진분수 중 약분하여 $\frac{2}{7}$ 가 되는 분수는 $\frac{24}{84}$ 입니다.

11 분수와 소수의 크기 비교

p. 53~55

> 교과서 + 익힘책 유형

01 (1) < (2) < (3) <　　**02** <

03 풀이 참조　　　　　**04** ㉠, ㉢

05 (1) 2, 3, 4 (2) 24, 25, 26

06 1, 2, 3　　　　　**07** 농구, $\dfrac{3}{40}$ 시간

> 교과서 + 익힘책 응용 유형

08 $\dfrac{4}{7}$, $\dfrac{3}{8}$, $\dfrac{5}{14}$　　　**09** 놀이터　**10** B, A

11 13　　　**12** (위에서부터) $\dfrac{11}{12}$, $\dfrac{4}{7}$, $\dfrac{11}{12}$

13 ㉠　　　**14** 사과 상자

> 잘 틀리는 유형

15 22　　**16** $\dfrac{9}{14}$　**17** 빵　　**18** 환희

19 우유　　**20** $\dfrac{4}{5}$, $\dfrac{3}{7}$

---

01 답 (1) < (2) < (3) <

(1) $\left(\dfrac{7}{12}, \dfrac{5}{8}\right) \Rightarrow \left(\dfrac{14}{24}, \dfrac{15}{24}\right) \Rightarrow \dfrac{7}{12} < \dfrac{5}{8}$

(2) $\left(\dfrac{17}{18}, \dfrac{19}{20}\right) \Rightarrow \left(\dfrac{170}{180}, \dfrac{171}{180}\right) \Rightarrow \dfrac{17}{18} < \dfrac{19}{20}$

(3) $\left(\dfrac{9}{11}, \dfrac{13}{15}\right) \Rightarrow \left(\dfrac{135}{165}, \dfrac{143}{165}\right) \Rightarrow \dfrac{9}{11} < \dfrac{13}{15}$

02 답 <

$\dfrac{3}{8} = \dfrac{3 \times 125}{8 \times 125} = \dfrac{375}{1000} = 0.375$

0.375 < 0.5이므로 ◯ 안에 알맞은 것은 < 입니다.

03 답 풀이 참조

$\left(\dfrac{2}{15}, \dfrac{3}{5}\right) \Rightarrow \left(\dfrac{2}{15}, \dfrac{9}{15}\right) \Rightarrow \dfrac{2}{15} < \dfrac{3}{5}$

$\left(\dfrac{3}{5}, \dfrac{9}{20}\right) \Rightarrow \left(\dfrac{12}{20}, \dfrac{9}{20}\right) \Rightarrow \dfrac{3}{5} > \dfrac{9}{20}$

$\left(\dfrac{2}{15}, \dfrac{9}{20}\right) \Rightarrow \left(\dfrac{8}{60}, \dfrac{27}{60}\right) \Rightarrow \dfrac{2}{15} < \dfrac{9}{20}$

이므로 큰 수부터 차례대로 나열하면 $\dfrac{3}{5}$, $\dfrac{9}{20}$, $\dfrac{2}{15}$ 입니다.

04 답 ㉠, ㉢

$\dfrac{2}{3} = \dfrac{20}{30}$, $0.5 = \dfrac{5}{10} = \dfrac{15}{30}$, $\dfrac{1}{6} = \dfrac{5}{30}$

이므로 가장 큰 수는 ㉠ $\dfrac{2}{3}$ 이고 가장 작은 수는 ㉢ $\dfrac{1}{6}$ 입니다.

05 답 (1) 2, 3, 4 (2) 24, 25, 26

(1) $\dfrac{7}{32} < \dfrac{\square}{8} < \dfrac{9}{16}$ 를 통분하면

$\dfrac{7}{32} < \dfrac{4 \times \square}{32} < \dfrac{18}{32}$ 입니다.

$8 = 4 \times 2$, $12 = 4 \times 3$, $16 = 4 \times 4$이므로 □가 될 수 있는 자연수는 2, 3, 4입니다.

(2) $\dfrac{3}{20} < \dfrac{4}{\square} < \dfrac{6}{35}$ 의 분자들을 같은 수로 맞춰 줍니다. 3, 4, 6의 최소공배수는 12이므로

$\dfrac{12}{80} < \dfrac{12}{3 \times \square} < \dfrac{12}{70}$ 가 됩니다.

이때 $3 \times \square$는 70과 80 사이의 수이고 $3 \times 24 = 72$, $3 \times 25 = 75$, $3 \times 26 = 78$ 이므로 □가 될 수 있는 자연수는 24, 25, 26입니다.

06 답 1, 2, 3

$0.72 = \dfrac{72}{100} = \dfrac{36}{50} = \dfrac{18}{25}$ 이고 $\dfrac{\square}{5} = \dfrac{5 \times \square}{25}$ 이므로 $5 \times \square < 18$을 만족하는 자연수 □는 1, 2, 3입니다.

07 답 농구, $\dfrac{3}{40}$ 시간

수영: $\dfrac{4}{5} = \dfrac{32}{40}$ (시간)

농구: $\dfrac{7}{8} = \dfrac{35}{40}$ (시간)

따라서 농구를 수영보다 $\dfrac{35}{40} - \dfrac{32}{40} = \dfrac{3}{40}$ (시간) 더 많이 하였습니다.

08 답 $\dfrac{4}{7}$, $\dfrac{3}{8}$, $\dfrac{5}{14}$

$\left(\dfrac{3}{8}, \dfrac{4}{7}\right) \Rightarrow \left(\dfrac{21}{56}, \dfrac{32}{56}\right) \Rightarrow \dfrac{3}{8} < \dfrac{4}{7}$

$\left(\dfrac{4}{7}, \dfrac{5}{14}\right) \Rightarrow \left(\dfrac{8}{14}, \dfrac{5}{14}\right) \Rightarrow \dfrac{4}{7} > \dfrac{5}{14}$

$\left(\dfrac{3}{8}, \dfrac{5}{14}\right) \Rightarrow \left(\dfrac{21}{56}, \dfrac{20}{56}\right) \Rightarrow \dfrac{3}{8} > \dfrac{5}{14}$

이므로 큰 수부터 차례대로 쓰면 $\dfrac{4}{7}$, $\dfrac{3}{8}$, $\dfrac{5}{14}$ 입니다.

09 답 놀이터

$$\left(\frac{3}{4}, \frac{5}{7}\right) \Rightarrow \left(\frac{21}{28}, \frac{20}{28}\right) \Rightarrow \frac{3}{4} > \frac{5}{7}$$

따라서 집에서 더 가까운 곳은 놀이터입니다.

10 답 B, A

A: $\frac{1}{2} = \frac{5}{10} = 0.5(\text{kg})$

B: 0.86 kg

C: $\frac{3}{4} = \frac{75}{100} = 0.75(\text{kg})$

따라서 가장 많이 딴 사람은 B이고, 가장 적게 딴 사람은 A입니다.

11 답 13

16과 18의 최소공배수는 144이므로 분모를 144로 하여 통분합니다.

$\frac{11}{16} < \frac{\square}{18}$를 통분하면 $\frac{99}{144} < \frac{8 \times \square}{144}$이므로

$99 < 8 \times \square$가 되는 자연수 중에 가장 작은 자연수는 13입니다.

12 답 (위에서부터) $\frac{11}{12}, \frac{4}{7}, \frac{11}{12}$

$\frac{5}{9} = \frac{35}{63}, \frac{4}{7} = \frac{36}{63}$이므로 $\frac{4}{7}$가 더 큽니다.

$\frac{11}{12} = \frac{55}{60}, \frac{13}{15} = \frac{52}{60}$이므로 $\frac{11}{12}$이 더 큽니다.

$\frac{4}{7} = \frac{48}{84}, \frac{11}{12} = \frac{77}{84}$이므로 $\frac{11}{12}$이 더 큽니다.

따라서 위에서부터 차례대로 $\frac{11}{12}, \frac{4}{7}, \frac{11}{12}$입니다.

13 답 ㉠

㉠ $\frac{2}{7} = \frac{20}{70}, \frac{7}{10} = \frac{49}{70}$이므로 $\frac{7}{10}$이 더 큽니다.

따라서 크기 비교가 바르게 되었습니다.

㉡ $\frac{17}{20} = \frac{85}{100}, \frac{16}{25} = \frac{64}{100}$이므로 $\frac{17}{20}$이 더 큽니다.

따라서 크기 비교가 바르지 않습니다.

㉢ $\frac{57}{15} = \frac{35}{75}, 0.48 = \frac{48}{100} = \frac{24}{50} = \frac{12}{25} = \frac{36}{7}$

이므로 0.48이 더 큽니다.

따라서 크기 비교가 바르지 않습니다.

그러므로 크기 비교가 바르게 된 것은 ㉠입니다.

14 답 사과 상자

배 상자: $\frac{3}{5} = \frac{18}{30}(\text{kg})$

사과 상자: $\frac{5}{6} = \frac{25}{30}(\text{kg})$

따라서 사과 상자가 배 상자보다 더 무겁습니다.

15 답 22

4, 12, 8의 최소공배수는 24이므로

$\frac{1}{4} < \frac{\square}{12} < \frac{5}{8}$에서 분모를 24로 통분하면

$\frac{1}{4} = \frac{6}{24}, \frac{\square}{12} = \frac{2 \times \square}{24}, \frac{5}{8} = \frac{15}{24}$

이므로 $6 < 2 \times \square < 15$를 만족하는 $\square$를 구합니다.

$2 \times 4 = 8, 2 \times 5 = 10, 2 \times 6 = 12, 2 \times 7 = 14$이므로 $\square$는 4, 5, 6, 7이고 따라서 이 수들의 합은 $4 + 5 + 6 + 7 = 22$입니다.

16 답 $\frac{9}{14}$

$\left(\frac{4}{7}, \frac{2}{3}\right) \Rightarrow \left(\frac{12}{21}, \frac{14}{21}\right) \Rightarrow \frac{4}{7} < \frac{2}{3}$

$\left(\frac{2}{3}, \frac{9}{14}\right) \Rightarrow \left(\frac{28}{42}, \frac{27}{42}\right) \Rightarrow \frac{2}{3} > \frac{9}{14}$

$\left(\frac{2}{3}, 0.6\right) \Rightarrow \left(\frac{20}{30}, \frac{18}{30}\right) \Rightarrow \frac{2}{3} > 0.6$

따라서 $\frac{2}{3}$가 가장 큰 수입니다.

$\left(\frac{4}{7}, \frac{9}{14}\right) \Rightarrow \left(\frac{8}{14}, \frac{9}{14}\right) \Rightarrow \frac{4}{7} < \frac{9}{14}$

$\left(\frac{9}{14}, 0.6\right) \Rightarrow \left(\frac{45}{70}, \frac{42}{70}\right) \Rightarrow 0.6 < \frac{9}{14}$

따라서 두 번째로 큰 수는 $\frac{9}{14}$입니다.

17 답 빵

빵: $\frac{9}{14} = \frac{450}{700}(\text{kg})$

수제비: $0.62 = \frac{62}{100} = \frac{434}{700}(\text{kg})$

빵이 수제비보다 밀가루가 더 많이 사용됩니다.

수제비: $0.62 = \frac{62}{100} = \frac{124}{200}(\text{kg})$

케익: $\frac{5}{8} = \frac{125}{200}(\text{kg})$

케익이 수제비보다 밀가루가 더 많이 사용됩니다.

빵: $\frac{9}{14} = \frac{36}{56}(\text{kg})$

케익: $\frac{5}{8} = \frac{35}{56}(\text{kg})$

빵이 케익보다 밀가루가 더 많이 사용됩니다.

따라서 밀가루가 많이 사용되는 것은 차례대로 빵, 케익, 수제비입니다.

18 답 환희

지수: $\frac{5}{12}=\frac{25}{60}$(분)

환희: $\frac{15}{60}$분

찬우: $\frac{9}{20}=\frac{27}{60}$(분)

따라서 1등한 사람은 환희입니다.

19 답 우유

주스: $\frac{2}{5}=\frac{4}{10}=0.4$(L)

우유: 0.85 L

물: $\frac{1}{2}=\frac{5}{10}=0.5$(L)

따라서 냉장고 속에 가장 많이 있는 것은 우유입니다.

20 답 $\frac{4}{5}$, $\frac{3}{7}$

카드로 만들 수 있는 진분수는 $\frac{3}{4}$, $\frac{3}{5}$, $\frac{4}{5}$, $\frac{3}{7}$, $\frac{4}{7}$, $\frac{5}{7}$입니다. 먼저 가장 큰 분수를 찾아봅시다.

분모가 5인 진분수 중 가장 큰 수는 $\frac{4}{5}$이고 분모가 7인 진분수 중 가장 큰 수는 $\frac{5}{7}$이므로 $\frac{3}{4}$, $\frac{4}{5}$, $\frac{5}{7}$를 비교합니다.

$\left(\frac{3}{4}, \frac{4}{5}\right) \Rightarrow \left(\frac{15}{20}, \frac{16}{20}\right) \Rightarrow \frac{3}{4} < \frac{4}{5}$

$\left(\frac{4}{5}, \frac{5}{7}\right) \Rightarrow \left(\frac{28}{35}, \frac{25}{35}\right) \Rightarrow \frac{4}{5} > \frac{5}{7}$

$\left(\frac{3}{4}, \frac{5}{7}\right) \Rightarrow \left(\frac{21}{28}, \frac{20}{28}\right) \Rightarrow \frac{3}{4} > \frac{5}{7}$

따라서 가장 큰 진분수는 $\frac{4}{5}$입니다.

가장 작은 분수를 찾아봅시다.

분모가 5인 진분수 중 가장 작은 수는 $\frac{3}{5}$이고

분모가 7인 진분수 중 가장 작은 수는 $\frac{3}{7}$입니다.

$\frac{3}{4}$, $\frac{3}{5}$, $\frac{3}{7}$의 크기를 비교하면 분자가 같을 때 가장 작은 분수는 분모가 가장 크면 되므로 $\frac{3}{7}$이 가장 작은 분수입니다.

소수로 나타낼 수 있는 분수

[1] 답 ○

$\frac{3}{24}=\frac{1}{8}$에서 분모가 $8=2\times2\times2$이므로 소수로 나타낼 수 있습니다.

즉, $\frac{3}{24}=\frac{1}{8}=\frac{1\times125}{8\times125}=\frac{125}{1000}=0.125$입니다.

[2] 답 ×

$\frac{4}{17}$는 소수로 나타낼 수 없습니다.

[3] 답 ○

분모가 5뿐이므로 소수로 나타낼 수 있습니다.

즉, $\frac{2}{5}=\frac{2\times2}{5\times2}=\frac{4}{10}=0.4$입니다.

[4] 답 ○

$\frac{3}{4}$에서 분모가 $4=2\times2$이므로 소수로 나타낼 수 있습니다.

즉, $\frac{3}{4}=\frac{3\times25}{4\times25}=\frac{75}{100}=0.75$입니다.

[5] 답 ×

$\frac{7}{6}$에서 분모가 $6=2\times3$이므로 소수로 나타낼 수 없습니다.

[6] 답 ×

$\frac{2}{9}$에서 분모가 $9=3\times3$이므로 소수로 나타낼 수 없습니다.

[7] 답 ○

$\frac{3}{10}$에서 분모가 $10=2\times5$이므로 소수로 나타낼 수 있습니다.

즉, $\frac{3}{10}=0.3$입니다.

[8] 답 ×

$\frac{6}{11}$은 소수로 나타낼 수 없습니다.

5 ∷ 분수의 덧셈과 뺄셈

12 분수의 덧셈 (1)

p. 59~61

01 답 (1) $\dfrac{43}{72}$ (2) $\dfrac{19}{24}$ (3) $\dfrac{23}{36}$ (4) $\dfrac{17}{42}$

(1) $\dfrac{3}{8} + \dfrac{2}{9} = \dfrac{27}{72} + \dfrac{16}{72} = \dfrac{43}{72}$

(2) $\dfrac{1}{6} + \dfrac{5}{8} = \dfrac{4}{24} + \dfrac{15}{24} = \dfrac{19}{24}$

(3) $\dfrac{2}{9} + \dfrac{5}{12} = \dfrac{8}{36} + \dfrac{15}{36} = \dfrac{23}{36}$

(4) $\dfrac{3}{14} + \dfrac{4}{21} = \dfrac{9}{42} + \dfrac{8}{42} = \dfrac{17}{42}$

02 답 (1) $3\dfrac{11}{24}$ (2) $9\dfrac{43}{45}$ (3) $8\dfrac{19}{24}$ (4) $4\dfrac{41}{70}$

(1) $2\dfrac{1}{3} + 1\dfrac{1}{8} = \dfrac{7}{3} + \dfrac{9}{8} = \dfrac{56}{24} + \dfrac{27}{24} = \dfrac{83}{24} = 3\dfrac{11}{24}$

(2) $2\dfrac{5}{9} + 7\dfrac{2}{5} = \dfrac{23}{9} + \dfrac{37}{5}$

$\qquad = \dfrac{115}{45} + \dfrac{333}{45} = \dfrac{448}{45} = 9\dfrac{43}{45}$

(3) $5\dfrac{3}{8} + 3\dfrac{5}{12} = \dfrac{43}{8} + \dfrac{41}{12}$

$\qquad = \dfrac{129}{24} + \dfrac{82}{24} = \dfrac{211}{24} = 8\dfrac{19}{24}$

(4) $2\dfrac{3}{10} + 2\dfrac{2}{7} = \dfrac{23}{10} + \dfrac{16}{7}$

$\qquad = \dfrac{161}{70} + \dfrac{160}{70} = \dfrac{321}{70} = 4\dfrac{41}{70}$

03 답 풀이 참조

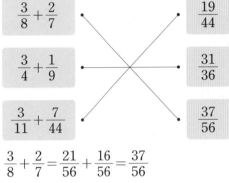

$\dfrac{3}{8} + \dfrac{2}{7} = \dfrac{21}{56} + \dfrac{16}{56} = \dfrac{37}{56}$

$\dfrac{3}{4} + \dfrac{1}{9} = \dfrac{27}{36} + \dfrac{4}{36} = \dfrac{31}{36}$

$\dfrac{3}{11} + \dfrac{7}{44} = \dfrac{12}{44} + \dfrac{7}{44} = \dfrac{19}{44}$

04 답 $\dfrac{9}{14}$, $\dfrac{17}{21}$, $\dfrac{1}{2}$

+	$\dfrac{1}{2}$	$\dfrac{2}{3}$	$\dfrac{5}{14}$
$\dfrac{1}{7}$	㉠	㉡	㉢

㉠ $\dfrac{1}{7} + \dfrac{1}{2} = \dfrac{2}{14} + \dfrac{7}{14} = \dfrac{9}{14}$

㉡ $\dfrac{1}{7} + \dfrac{2}{3} = \dfrac{3}{21} + \dfrac{14}{21} = \dfrac{17}{21}$

㉢ $\dfrac{1}{7} + \dfrac{5}{14} = \dfrac{2}{14} + \dfrac{5}{14} = \dfrac{7}{14} = \dfrac{1}{2}$

05 답 $\dfrac{15}{16}$ 시간

$\dfrac{1}{16} + \dfrac{7}{8} = \dfrac{1}{16} + \dfrac{14}{16} = \dfrac{15}{16}$

두 사람의 연습 시간은 $\dfrac{15}{16}$ 시간입니다.

06 답 풀이 참조

통분할 때 분모와 분자에 0이 아닌 같은 수를 곱해야 하는데 분자에는 1을 곱하여 계산이 잘못되었습니다. 따라서 바르게 계산하면

$\dfrac{2}{5} + \dfrac{1}{6} = \dfrac{2\times6}{5\times6} + \dfrac{1\times5}{6\times5} = \dfrac{12}{30} + \dfrac{5}{30} = \dfrac{17}{30}$

07 답 (위에서부터) $\dfrac{50}{63}$, $\dfrac{79}{88}$, $\dfrac{65}{77}$, $\dfrac{61}{72}$

$$\dfrac{4}{7}+\dfrac{2}{9}=\dfrac{36}{63}+\dfrac{14}{63}=\dfrac{50}{63}$$

$$\dfrac{3}{11}+\dfrac{5}{8}=\dfrac{24}{88}+\dfrac{55}{88}=\dfrac{79}{88}$$

$$\dfrac{4}{7}+\dfrac{3}{11}=\dfrac{44}{77}+\dfrac{21}{77}=\dfrac{65}{77}$$

$$\dfrac{2}{9}+\dfrac{5}{8}=\dfrac{16}{72}+\dfrac{45}{72}=\dfrac{61}{72}$$

08 답 ㉢

ㄱ $\dfrac{3}{7}+\dfrac{1}{2}=\dfrac{6}{14}+\dfrac{7}{14}=\dfrac{13}{14}$

ㄴ $\dfrac{5}{28}+\dfrac{9}{14}=\dfrac{5}{28}+\dfrac{18}{28}=\dfrac{23}{28}$

ㄷ $\dfrac{1}{14}+\dfrac{7}{8}=\dfrac{4}{56}+\dfrac{49}{56}=\dfrac{53}{56}$

㉠, ㉡, ㉢의 분모인 14, 28, 56의 최소공배수는 56
이므로 분모를 56으로 통분하면

㉠ $\dfrac{13}{14}=\dfrac{52}{56}$, ㉡ $\dfrac{23}{28}=\dfrac{46}{56}$, ㉢ $\dfrac{53}{56}$ 입니다.

따라서 계산 결과가 가장 큰 것은 ㉢입니다.

09 답 (위에서부터) $\dfrac{41}{45}$, $\dfrac{11}{15}$, $\dfrac{8}{45}$

$$\dfrac{1}{3}+\dfrac{2}{5}=\dfrac{5}{15}+\dfrac{6}{15}=\dfrac{11}{15}$$

$$\dfrac{1}{9}+\dfrac{1}{15}=\dfrac{5}{45}+\dfrac{3}{45}=\dfrac{8}{45}$$

$$\dfrac{11}{15}+\dfrac{8}{45}=\dfrac{33}{45}+\dfrac{8}{45}=\dfrac{41}{45}$$

따라서 빈칸에 들어갈 분수를 위에서부터 순서대로
나열하면 $\dfrac{41}{45}$, $\dfrac{11}{15}$, $\dfrac{8}{45}$ 입니다.

10 답 ③

① $\dfrac{2}{3}+\dfrac{1}{8}=\dfrac{16}{24}+\dfrac{3}{24}=\dfrac{19}{24}$

② $\dfrac{5}{6}+\dfrac{1}{9}=\dfrac{15}{18}+\dfrac{2}{18}=\dfrac{17}{18}$

③ $\dfrac{4}{5}+\dfrac{1}{7}=\dfrac{28}{35}+\dfrac{5}{35}=\dfrac{33}{35}$

④ $\dfrac{1}{8}+\dfrac{3}{4}=\dfrac{1}{8}+\dfrac{6}{8}=\dfrac{7}{8}$

⑤ $\dfrac{1}{2}+\dfrac{1}{4}=\dfrac{2}{4}+\dfrac{1}{4}=\dfrac{3}{4}$

따라서 분자의 숫자가 가장 큰 것은 ③입니다.

11 답 <

$$2\dfrac{1}{4}+3\dfrac{1}{8}=(2+3)+\left(\dfrac{1}{4}+\dfrac{1}{8}\right)$$

$$=5+\left(\dfrac{2}{8}+\dfrac{1}{8}\right)=5+\dfrac{3}{8}=5\dfrac{3}{8}$$

$$2\dfrac{1}{2}+3\dfrac{3}{8}=(2+3)+\left(\dfrac{1}{2}+\dfrac{3}{8}\right)$$

$$=5+\left(\dfrac{4}{8}+\dfrac{3}{8}\right)=5+\dfrac{7}{8}=5\dfrac{7}{8}$$

따라서 ○ 안에 알맞은 것은 < 입니다.

12 답 $\dfrac{41}{56}$ 컵

$$\dfrac{3}{8}+\dfrac{5}{14}=\dfrac{21}{56}+\dfrac{20}{56}=\dfrac{41}{56}$$

따라서 두 사람의 밀가루는 $\dfrac{41}{56}$ 컵입니다.

13 답 $\dfrac{7}{8}$ cm

$$\dfrac{1}{8}+\dfrac{2}{3}+\dfrac{1}{12}=\dfrac{3}{24}+\dfrac{16}{24}+\dfrac{2}{24}=\dfrac{21}{24}=\dfrac{7}{8}$$

따라서 삼각형의 둘레는 $\dfrac{7}{8}$ cm입니다.

14 답 $12\dfrac{4}{5}$ cm

$$4\dfrac{4}{15}+4\dfrac{4}{15}+4\dfrac{4}{15}$$

$$=(4+4+4)+\left(\dfrac{4}{15}+\dfrac{4}{15}+\dfrac{4}{15}\right)$$

$$=12+\dfrac{12}{15}=12\dfrac{12}{15}=12\dfrac{4}{5}$$

따라서 이어 붙인 색테이프는 $12\dfrac{4}{5}$ cm입니다.

15 답 $\dfrac{59}{60}$

$$\dfrac{1}{6}+\dfrac{2}{5}+\dfrac{5}{12}=\dfrac{10}{60}+\dfrac{24}{60}+\dfrac{25}{60}=\dfrac{59}{60}$$

16 답 $\dfrac{11}{12}$

㉠ $\left(\dfrac{1}{12}$ 보다 $\dfrac{2}{3}$ 큰 수$\right)=\dfrac{1}{12}+\dfrac{2}{3}=\dfrac{1}{12}+\dfrac{8}{12}$

$$=\dfrac{9}{12}=\dfrac{3}{4}$$

㉡ $\left(\dfrac{1}{8}$ 보다 $\dfrac{1}{24}$ 큰 수$\right)=\dfrac{1}{8}+\dfrac{1}{24}=\dfrac{3}{24}+\dfrac{1}{24}$

$$=\dfrac{4}{24}=\dfrac{1}{6}$$

따라서 ㉠+㉡ $=\dfrac{3}{4}+\dfrac{1}{6}=\dfrac{9}{12}+\dfrac{2}{12}=\dfrac{11}{12}$
입니다.

17 답 $19\frac{19}{24}$ kW

$$11\frac{5}{8}+8\frac{1}{6}=11\frac{15}{24}+8\frac{4}{24}$$
$$=(11+8)+\left(\frac{15}{24}+\frac{4}{24}\right)$$
$$=19+\frac{19}{24}=19\frac{19}{24}$$

두 집에서 사용한 전기는 $19\frac{19}{24}$ kW입니다.

18 답 3개

$$\frac{3}{8}+\frac{1}{6}=\frac{9}{24}+\frac{4}{24}=\frac{13}{24}$$
$$\frac{5}{12}+\frac{7}{24}=\frac{10}{24}+\frac{7}{24}=\frac{17}{24}$$

따라서 $\frac{13}{24}$과 $\frac{17}{24}$ 사이에 있는 진분수는
$\frac{14}{24}$, $\frac{15}{24}$, $\frac{16}{24}$으로 3개입니다.

13 분수의 덧셈 (2)

p. 63~65

> 교과서 + 익힘책 유형

01 (1) $1\frac{7}{18}$ (2) $1\frac{3}{20}$ (3) $1\frac{3}{8}$ (4) $1\frac{9}{70}$

02 (1) $4\frac{9}{20}$ (2) $7\frac{23}{55}$ (3) $10\frac{13}{90}$ (4) $10\frac{17}{36}$

03 $5\frac{5}{16}$, $6\frac{17}{24}$ **04** (1) $6\frac{5}{56}$ (2) $8\frac{13}{36}$

05 ㉠ $1\frac{1}{2}$, ㉡ $1\frac{3}{4}$ **06** $3\frac{1}{4}$

> 교과서 + 익힘책 응용 유형

07 ㉠

08 (위에서부터) $6\frac{17}{30}$, $8\frac{1}{30}$, $6\frac{1}{6}$, $8\frac{13}{30}$

09 $11\frac{3}{35}$ m   **10** >   **11** $1\frac{23}{30}$

12 $1\frac{17}{30}$ L

> 잘 틀리는 유형

13 $8\frac{7}{20}$ **14** $1\frac{13}{40}$ **15** $49\frac{13}{56}$ g

16 $36\frac{2}{5}$ L   **17** $12\frac{2}{3}$ L   **18** 7, 8, 9

01 답 (1) $1\frac{7}{18}$ (2) $1\frac{3}{20}$ (3) $1\frac{3}{8}$ (4) $1\frac{9}{70}$

(1) $\frac{5}{9}+\frac{5}{6}=\frac{10}{18}+\frac{15}{18}=\frac{25}{18}=1\frac{7}{18}$

(2) $\frac{2}{5}+\frac{3}{4}=\frac{8}{20}+\frac{15}{20}=\frac{23}{20}=1\frac{3}{20}$

(3) $\frac{1}{2}+\frac{7}{8}=\frac{4}{8}+\frac{7}{8}=\frac{11}{8}=1\frac{3}{8}$

(4) $\frac{3}{7}+\frac{7}{10}=\frac{30}{70}+\frac{49}{70}=\frac{79}{70}=1\frac{9}{70}$

02 답 (1) $4\frac{9}{20}$ (2) $7\frac{23}{55}$ (3) $10\frac{13}{90}$ (4) $10\frac{17}{36}$

(1) $1\frac{7}{10}+2\frac{3}{4}=1\frac{14}{20}+2\frac{15}{20}=3\frac{29}{20}=4\frac{9}{20}$

(2) $4\frac{9}{11}+2\frac{3}{5}=4\frac{45}{55}+2\frac{33}{55}=6\frac{78}{55}=7\frac{23}{55}$

(3) $5\frac{8}{15}+4\frac{11}{18}=5\frac{48}{90}+4\frac{55}{90}=9\frac{103}{90}=10\frac{13}{90}$

(4) $3\frac{8}{9}+6\frac{7}{12}=3\frac{32}{36}+6\frac{21}{36}=9\frac{53}{36}=10\frac{17}{36}$

03 답 $5\frac{5}{16}$, $6\frac{17}{24}$

+	$1\frac{7}{16}$	$2\frac{5}{6}$
$3\frac{7}{8}$	㉠	㉡

㉠ $3\frac{7}{8}+1\frac{7}{16}=3\frac{14}{16}+1\frac{7}{16}=4\frac{21}{16}=5\frac{5}{16}$

㉡ $3\frac{7}{8}+2\frac{5}{6}=3\frac{21}{24}+2\frac{20}{24}=5\frac{41}{24}=6\frac{17}{24}$

04 답 (1) $6\frac{5}{56}$ (2) $8\frac{13}{36}$

(1) □$=4\frac{3}{8}+1\frac{5}{7}=4\frac{21}{56}+1\frac{40}{56}=5\frac{61}{56}=6\frac{5}{56}$

(2) □$=5\frac{4}{9}+2\frac{11}{12}=5\frac{16}{36}+2\frac{33}{36}=7\frac{49}{36}=8\frac{13}{36}$

05 답 ㉠ $1\frac{1}{2}$, ㉡ $1\frac{3}{4}$

㉠ $\frac{2}{3}+\frac{5}{6}=\frac{4}{6}+\frac{5}{6}=\frac{9}{6}=\frac{3}{2}=1\frac{1}{2}$

㉡ $\frac{3}{2}+\frac{1}{4}=\frac{6}{4}+\frac{1}{4}=\frac{7}{4}=1\frac{3}{4}$

06 답 $3\frac{1}{4}$

$$㉠+㉡=1\frac{1}{2}+1\frac{3}{4}=\frac{3}{2}+\frac{7}{4}=\frac{6}{4}+\frac{7}{4}$$
$$=\frac{13}{4}=3\frac{1}{4}$$

07 답 ㉠

㉠ $1\frac{4}{5}+3\frac{3}{7}=1\frac{28}{35}+3\frac{15}{35}=4\frac{43}{35}$

$\qquad\qquad =5\frac{8}{35}=5\frac{16}{70}$

㉡ $2\frac{1}{2}+2\frac{7}{10}=2\frac{5}{10}+2\frac{7}{10}=4\frac{12}{10}$

$\qquad\qquad =5\frac{2}{10}=5\frac{14}{70}$

㉢ $2\frac{1}{14}+1\frac{3}{5}=2\frac{5}{70}+1\frac{42}{70}=3\frac{47}{70}$

따라서 계산 결과가 가장 큰 수는 ㉠입니다.

08 답 (위에서부터) $6\frac{17}{30}$, $8\frac{1}{30}$, $6\frac{1}{6}$, $8\frac{13}{30}$

$2\frac{2}{3}+3\frac{9}{10}=2\frac{20}{30}+3\frac{27}{30}=5\frac{47}{30}=6\frac{17}{30}$

$3\frac{1}{2}+4\frac{8}{15}=3\frac{15}{30}+4\frac{16}{30}=7\frac{31}{30}=8\frac{1}{30}$

$2\frac{2}{3}+3\frac{1}{2}=2\frac{4}{6}+3\frac{3}{6}=5\frac{7}{6}=6\frac{1}{6}$

$3\frac{9}{10}+4\frac{8}{15}=3\frac{27}{30}+4\frac{16}{30}=7\frac{43}{30}=8\frac{13}{30}$

09 답 $11\frac{3}{35}$ m

$6\frac{2}{7}+4\frac{4}{5}=6\frac{10}{35}+4\frac{28}{35}=10\frac{38}{35}=11\frac{3}{35}$

따라서 A와 B가 가지고 있는 리본은 $11\frac{3}{35}$ m입니다.

10 답 >

$1\frac{3}{10}+4\frac{13}{15}=1\frac{9}{30}+4\frac{26}{30}=5\frac{35}{30}=6\frac{5}{30}=6\frac{1}{6}$

$2\frac{4}{5}+3\frac{1}{6}=2\frac{24}{30}+3\frac{5}{30}=5\frac{29}{30}$

따라서 ○ 안에 알맞은 것은 >입니다.

11 답 $1\frac{23}{30}$

$\frac{7}{12}$ ★ $\frac{3}{5}=\frac{7}{12}+\frac{3}{5}+\frac{7}{12}=\frac{35}{60}+\frac{36}{60}+\frac{35}{60}$

$\qquad\qquad =\frac{106}{60}=1\frac{46}{60}=1\frac{23}{30}$

12 답 $1\frac{17}{30}$ L

$\frac{5}{6}+\frac{11}{15}=\frac{25}{30}+\frac{22}{30}=\frac{47}{30}=1\frac{17}{30}$

두 사람이 마신 물은 $1\frac{17}{30}$ L입니다.

13 답 $8\frac{7}{20}$

가장 큰 대분수는 자연수 부분이 가장 크고 분수 부분도 가장 커야 하므로 $5\frac{3}{4}$입니다.

가장 작은 대분수는 자연수가 가장 작고 분수 부분도 가장 작아야 하므로 $2\frac{3}{5}$입니다.

$5\frac{3}{4}+2\frac{3}{5}=5\frac{15}{20}+2\frac{12}{20}=7\frac{27}{20}=8\frac{7}{20}$

가장 큰 대분수와 가장 작은 대분수의 합은 $8\frac{7}{20}$입니다.

14 답 $1\frac{13}{40}$

$\frac{7}{10}=\frac{28}{40}$, $\frac{5}{8}=\frac{25}{40}$, $\frac{3}{4}=\frac{30}{40}$

가장 큰 수는 $\frac{3}{4}$이므로 나머지 두 수인 $\frac{7}{10}$과 $\frac{5}{8}$를 더합니다.

$\frac{7}{10}+\frac{5}{8}=\frac{28}{40}+\frac{25}{40}=\frac{53}{40}=1\frac{13}{40}$

가장 큰 수를 뺀 나머지 두 분수의 합은 $1\frac{13}{40}$입니다.

15 답 $49\frac{13}{56}$ g

$30\frac{7}{8}+18\frac{5}{14}=30\frac{49}{56}+18\frac{20}{56}=48\frac{69}{56}=49\frac{13}{56}$

따라서 사용된 고무찰흙은 $49\frac{13}{56}$ g입니다.

16 답 $36\frac{2}{5}$ L

$5\frac{9}{10}+30\frac{1}{2}=5\frac{9}{10}+30\frac{5}{10}=35\frac{14}{10}=36\frac{4}{10}$

$\qquad\qquad =36\frac{2}{5}$

따라서 현지 아버지 차에는 $36\frac{2}{5}$ L의 휘발유가 들어 있습니다.

17 답 $12\frac{2}{3}$ L

$5\frac{11}{12}+6\frac{3}{4}=5\frac{11}{12}+6\frac{9}{12}=11\frac{20}{12}$

$\qquad\qquad =12\frac{8}{12}=12\frac{2}{3}$

따라서 어제와 오늘 증발한 물은 $12\frac{2}{3}$ L입니다.

18 답 7, 8, 9

$$2\frac{5}{8}+3\frac{4}{5}=2\frac{25}{40}+3\frac{32}{40}=5\frac{57}{40}=6\frac{17}{40}$$

따라서 $6\frac{17}{40}$과 10 사이에 있는 자연수는 7, 8, 9입니다.

14 분수의 뺄셈 (1)

p. 67~69

> 교과서 + 익힘책 유형

01 풀이 참조 **02** (1) $\frac{11}{35}$ (2) $\frac{1}{12}$

03 (1) $\frac{2}{21}$ (2) $\frac{7}{40}$　　**04** 3, 2, 3, 2, $1\frac{1}{6}$

05 $1\frac{7}{20}$　　**06** (1) $3\frac{1}{18}$ (2) $3\frac{23}{36}$

> 교과서 + 익힘책 응용 유형

07 $\frac{2}{9}$ m　　**08** $4\frac{5}{28}$　　**09** $1\frac{17}{28}$ m **10** ㉠

11 $2\frac{1}{24}$　　**12** ㉡, ㉢, ㉠ **13** $\frac{8}{15}$ kg **14** >

> 잘 틀리는 유형

15 $6\frac{7}{24}$　　**16** $\frac{1}{18}$　　**17** 4, 5, 6, 7

18 $3\frac{1}{24}$　　**19** <　　**20** $2\frac{3}{10}$ m

01 답 풀이 참조

$$\frac{4}{5}-\frac{2}{3}=\frac{12}{15}-\frac{10}{15}=\frac{2}{15}$$

02 답 (1) $\frac{11}{35}$ (2) $\frac{1}{12}$

(1) $\frac{3}{5}-\frac{2}{7}=\frac{21}{35}-\frac{10}{35}=\frac{11}{35}$

(2) $\frac{1}{2}-\frac{5}{12}=\frac{6}{12}-\frac{5}{12}=\frac{1}{12}$

03 답 (1) $\frac{2}{21}$ (2) $\frac{7}{40}$

(1) $\frac{3}{7}-\frac{1}{3}=\frac{9}{21}-\frac{7}{21}=\frac{2}{21}$

(2) $\frac{5}{8}-\frac{9}{20}=\frac{25}{40}-\frac{18}{40}=\frac{7}{40}$

04 답 3, 2, 3, 2, $1\frac{1}{6}$

$$2\frac{1}{2}-1\frac{1}{3}=2\frac{3}{6}-1\frac{2}{6}=(2-1)+\left(\frac{3}{6}-\frac{2}{6}\right)$$
$$=1\frac{1}{6}$$

05 답 $1\frac{7}{20}$

$$\left(2\frac{3}{5}보다\ 1\frac{1}{4}\ 작은\ 수\right)=2\frac{3}{5}-1\frac{1}{4}$$
$$=2\frac{12}{20}-1\frac{5}{20}$$
$$=(2-1)+\left(\frac{12}{20}-\frac{5}{20}\right)$$
$$=1+\frac{7}{20}=1\frac{7}{20}$$

06 답 (1) $3\frac{1}{18}$ (2) $3\frac{23}{36}$

(1) $5\frac{5}{9}-2\frac{1}{2}=5\frac{10}{18}-2\frac{9}{18}$
$$=(5-2)+\left(\frac{10}{18}-\frac{9}{18}\right)$$
$$=3+\frac{1}{18}=3\frac{1}{18}$$

(2) $3\frac{11}{12}-\frac{5}{18}=3\frac{33}{36}-\frac{10}{36}$
$$=3+\left(\frac{33}{36}-\frac{10}{36}\right)$$
$$=3+\frac{23}{36}=3\frac{23}{36}$$

07 답 $\frac{2}{9}$ m

$$\frac{8}{9}-\frac{2}{3}=\frac{8}{9}-\frac{6}{9}=\frac{2}{9}$$

따라서 민우는 연희보다 끈을 $\frac{2}{9}$ m 더 사용하였습니다.

08 답 $4\frac{5}{28}$

□$+2\frac{1}{4}=6\frac{3}{7}$이므로 □$=6\frac{3}{7}-2\frac{1}{4}$입니다.

□$=6\frac{3}{7}-2\frac{1}{4}=6\frac{12}{28}-2\frac{7}{28}$
$$=(6-2)+\left(\frac{12}{28}-\frac{7}{28}\right)$$
$$=4+\frac{5}{28}=4\frac{5}{28}$$

09 답 $1\dfrac{17}{28}$ m

$$2\dfrac{3}{4}-1\dfrac{1}{7}=2\dfrac{21}{28}-1\dfrac{4}{28}=(2-1)+\left(\dfrac{21}{28}-\dfrac{4}{28}\right)$$
$$=1+\dfrac{17}{28}=1\dfrac{17}{28}$$

따라서 가로와 세로의 차는 $1\dfrac{17}{28}$ m입니다.

10 답 ㉠

㉠ $4\dfrac{1}{9}-1\dfrac{1}{12}=4\dfrac{4}{36}-1\dfrac{3}{36}$
$$=(4-1)+\left(\dfrac{4}{36}-\dfrac{3}{36}\right)$$
$$=3+\dfrac{1}{36}=3\dfrac{1}{36}$$

㉡ $4\dfrac{7}{10}-1\dfrac{2}{3}=4\dfrac{21}{30}-1\dfrac{20}{30}$
$$=(4-1)+\left(\dfrac{21}{30}-\dfrac{20}{30}\right)$$
$$=3+\dfrac{1}{30}=3\dfrac{1}{30}$$

㉢ $4\dfrac{5}{8}-1\dfrac{1}{2}=4\dfrac{5}{8}-1\dfrac{4}{8}$
$$=(4-1)+\left(\dfrac{5}{8}-\dfrac{4}{8}\right)$$
$$=3+\dfrac{1}{8}=3\dfrac{1}{8}$$

분자가 같은 경우 분모가 클수록 분수는 작아집니다.
따라서 계산 결과가 가장 작은 것은 ㉠입니다.

11 답 $2\dfrac{1}{24}$

$$3\dfrac{5}{6}-1\dfrac{2}{3}=3\dfrac{5}{6}-1\dfrac{4}{6}=(3-1)+\left(\dfrac{5}{6}-\dfrac{4}{6}\right)$$
$$=2+\dfrac{1}{6}=2\dfrac{1}{6}$$
$$2\dfrac{1}{6}-\dfrac{1}{8}=2\dfrac{4}{24}-\dfrac{3}{24}=2+\left(\dfrac{4}{24}-\dfrac{3}{24}\right)$$
$$=2+\dfrac{1}{24}=2\dfrac{1}{24}$$

12 답 ㉡, ㉢, ㉠

㉠ $3\dfrac{5}{6}-1\dfrac{2}{9}=3\dfrac{15}{18}-1\dfrac{4}{18}$
$$=(3-1)+\left(\dfrac{15}{18}-\dfrac{4}{18}\right)$$
$$=2+\dfrac{11}{18}=2\dfrac{11}{18}=2\dfrac{385}{630}$$

㉡ $3\dfrac{4}{7}-1\dfrac{1}{3}=3\dfrac{12}{21}-1\dfrac{7}{21}$
$$=(3-1)+\left(\dfrac{12}{21}-\dfrac{7}{21}\right)$$
$$=2+\dfrac{5}{21}=2\dfrac{5}{21}=2\dfrac{150}{630}$$

㉢ $3\dfrac{4}{5}-1\dfrac{1}{2}=3\dfrac{8}{10}-1\dfrac{5}{10}$
$$=(3-1)+\left(\dfrac{8}{10}-\dfrac{5}{10}\right)$$
$$=2+\dfrac{3}{10}=2\dfrac{3}{10}=2\dfrac{189}{630}$$

가장 작은 것부터 차례대로 쓰면 ㉡, ㉢, ㉠입니다.

13 답 $\dfrac{8}{15}$ kg

$$\dfrac{7}{10}-\dfrac{1}{6}=\dfrac{21}{30}-\dfrac{5}{30}=\dfrac{16}{30}=\dfrac{8}{15}$$

따라서 남은 박력분은 $\dfrac{8}{15}$ kg입니다.

14 답 $>$

$$4\dfrac{2}{3}-1\dfrac{2}{9}=4\dfrac{6}{9}-1\dfrac{2}{9}$$
$$=(4-1)+\left(\dfrac{6}{9}-\dfrac{2}{9}\right)=3+\dfrac{4}{9}=3\dfrac{4}{9}$$
$$2\dfrac{7}{18}-\dfrac{1}{6}=2\dfrac{7}{18}-\dfrac{3}{18}=2+\left(\dfrac{7}{18}-\dfrac{3}{18}\right)$$
$$=2+\dfrac{4}{18}=2\dfrac{4}{18}=2\dfrac{2}{9}$$

따라서 ○ 안에 알맞은 것은 $>$입니다.

15 답 $6\dfrac{7}{24}$

가장 큰 수는 $8\dfrac{2}{3}$이고, 가장 작은 수는 $2\dfrac{3}{8}$입니다.
두 수의 차를 구하면
$$8\dfrac{2}{3}-2\dfrac{3}{8}=8\dfrac{16}{24}-2\dfrac{9}{24}$$
$$=(8-2)+\left(\dfrac{16}{24}-\dfrac{9}{24}\right)$$
$$=6+\dfrac{7}{24}=6\dfrac{7}{24}$$

16 답 $\dfrac{1}{18}$

어떤 수를 □라 하면 □$+\dfrac{5}{12}=\dfrac{8}{9}$입니다.

□$=\dfrac{8}{9}-\dfrac{5}{12}=\dfrac{32}{36}-\dfrac{15}{36}=\dfrac{17}{36}$

따라서 바르게 계산하면
$$\dfrac{17}{36}-\dfrac{5}{12}=\dfrac{17}{36}-\dfrac{15}{36}=\dfrac{2}{36}=\dfrac{1}{18}$$

17 답 4, 5, 6, 7

$$9\dfrac{7}{8}-2\dfrac{4}{9}=9\dfrac{63}{72}-2\dfrac{32}{72}=7\dfrac{31}{72}$$

따라서 3과 $7\frac{31}{72}$ 사이에 있는 자연수는 4, 5, 6, 7입니다.

18 <kbd>답</kbd> $3\frac{1}{24}$

어떤 수를 □라 하면 $\square+1\frac{1}{6}=5\frac{3}{8}$ 입니다.

$\square=5\frac{3}{8}-1\frac{1}{6}=5\frac{9}{24}-1\frac{4}{24}$

$=(5-1)+\left(\frac{9}{24}-\frac{4}{24}\right)=4+\frac{5}{24}=4\frac{5}{24}$

따라서 구하는 답은

$4\frac{5}{24}-1\frac{1}{6}=4\frac{5}{24}-1\frac{4}{24}$

$=(4-1)+\left(\frac{5}{24}-\frac{4}{24}\right)$

$=3+\frac{1}{24}=3\frac{1}{24}$

19 <kbd>답</kbd> $<$

$3\frac{7}{8}-1\frac{1}{2}=3\frac{7}{8}-1\frac{4}{8}$

$=(3-1)+\left(\frac{7}{8}-\frac{4}{8}\right)=2+\frac{3}{8}$

$=2\frac{3}{8}=2\frac{9}{24}$

$4\frac{3}{4}-2\frac{1}{6}=4\frac{9}{12}-2\frac{2}{12}$

$=(4-2)+\left(\frac{9}{12}-\frac{2}{12}\right)$

$=2+\frac{7}{12}=2\frac{7}{12}=2\frac{14}{24}$

따라서 ○ 안에 알맞은 것은 $<$ 입니다.

20 <kbd>답</kbd> $2\frac{3}{10}$ m

가장 긴 변은 $4\frac{1}{2}$ m, 가장 짧은 변은 $2\frac{1}{5}$ m입니다.

$4\frac{1}{2}-2\frac{1}{5}=4\frac{5}{10}-2\frac{2}{10}$

$=(4-2)+\left(\frac{5}{10}-\frac{2}{10}\right)$

$=2+\frac{3}{10}=2\frac{3}{10}$

따라서 두 변의 길이의 차는 $2\frac{3}{10}$ (m)입니다.

15 분수의 뺄셈 (2)

> 교과서 + 익힘책 유형

01 풀이 참조 **02** (1) $1\frac{9}{14}$ (2) $1\frac{21}{40}$ (3) $2\frac{39}{56}$

(4) $3\frac{11}{18}$ **03** (1) $1\frac{9}{20}$ (2) $5\frac{25}{36}$

04 $1\frac{11}{12}$ **05** $1\frac{7}{8}$

> 교과서 + 익힘책 응용 유형

06 $>$ **07** ㉡ **08** $1\frac{13}{18}$ kg

09 풀이 참조 **10** ㉡ **11** $2\frac{5}{6}$ **12** $>$

> 잘 틀리는 유형

13 $3\frac{19}{40}$ L **14** $2\frac{22}{35}$ **15** $2\frac{14}{15}$

16 $1\frac{23}{24}$ L **17** 4 **18** $\frac{19}{45}$

01 <kbd>답</kbd> 풀이 참조

▶ 자연수는 자연수끼리, 분수는 분수끼리 빼서 계산하기

$4\frac{2}{5}-2\frac{1}{2}=4\frac{4}{10}-2\frac{5}{10}=3\frac{14}{10}-2\frac{5}{10}$

$=(3-2)+\left(\frac{14}{10}-\frac{5}{10}\right)=1\frac{9}{10}$

▶ 대분수를 가분수로 고쳐서 계산하기

$4\frac{2}{5}-2\frac{1}{2}=\frac{22}{5}-\frac{5}{2}=\frac{44}{10}-\frac{25}{10}=\frac{19}{10}=1\frac{9}{10}$

02 <kbd>답</kbd> (1) $1\frac{9}{14}$ (2) $1\frac{21}{40}$ (3) $2\frac{39}{56}$ (4) $3\frac{11}{18}$

(1) $4\frac{1}{2}-2\frac{6}{7}=4\frac{7}{14}-2\frac{12}{14}=3\frac{21}{14}-2\frac{12}{14}$

$=(3-2)+\left(\frac{21}{14}-\frac{12}{14}\right)=1\frac{9}{14}$

(2) $5\frac{3}{20}-3\frac{5}{8}=5\frac{6}{40}-3\frac{25}{40}=4\frac{46}{40}-3\frac{25}{40}$

$=(4-3)+\left(\frac{46}{40}-\frac{25}{40}\right)=1\frac{21}{40}$

(3) $4\frac{1}{8}-1\frac{3}{7}=4\frac{7}{56}-1\frac{24}{56}=3\frac{63}{56}-1\frac{24}{56}$

$=(3-1)+\left(\frac{63}{56}-\frac{24}{56}\right)=2\frac{39}{56}$

(4) $6\frac{4}{9}-2\frac{5}{6}=6\frac{8}{18}-2\frac{15}{18}=5\frac{26}{18}-2\frac{15}{18}$

$=(5-2)+\left(\frac{26}{18}-\frac{15}{18}\right)=3\frac{11}{18}$

03 답 (1) $1\frac{9}{20}$ (2) $5\frac{25}{36}$

(1) $3\frac{1}{5}-1\frac{3}{4}=3\frac{4}{20}-1\frac{15}{20}=2\frac{24}{20}-1\frac{15}{20}$

$\qquad =(2-1)+\left(\frac{24}{20}-\frac{15}{20}\right)=1\frac{9}{20}$

(2) $6\frac{7}{12}-\frac{8}{9}=6\frac{21}{36}-\frac{32}{36}=5\frac{57}{36}-\frac{32}{36}$

$\qquad =5+\left(\frac{57}{36}-\frac{32}{36}\right)=5\frac{25}{36}$

04 답 $1\frac{11}{12}$

$\left(5\frac{3}{4}\text{보다 }3\frac{5}{6}\text{ 작은 수}\right)=5\frac{3}{4}-3\frac{5}{6}$

$\qquad =\frac{23}{4}-\frac{23}{6}=\frac{69}{12}-\frac{46}{12}$

$\qquad =\frac{23}{12}=1\frac{11}{12}$

05 답 $1\frac{7}{8}$

$5\frac{3}{8}-3\frac{1}{2}=5\frac{3}{8}-3\frac{4}{8}=4\frac{11}{8}-3\frac{4}{8}$

$\qquad =(4-3)+\left(\frac{11}{8}-\frac{4}{8}\right)=1\frac{7}{8}$

06 답 >

$6\frac{1}{3}-1\frac{2}{5}=6\frac{5}{15}-1\frac{6}{15}=5\frac{20}{15}-1\frac{6}{15}$

$\qquad =4\frac{14}{15}=4\frac{28}{30}$

$6\frac{4}{15}-1\frac{5}{6}=6\frac{8}{30}-1\frac{25}{30}=5\frac{38}{30}-1\frac{25}{30}=4\frac{13}{30}$

따라서 ○ 안에 알맞은 것은 >입니다.

07 답 ○

㉠ $4\frac{4}{9}-3\frac{7}{15}=4\frac{20}{45}-3\frac{21}{45}=3\frac{65}{45}-3\frac{21}{45}$

$\qquad =\frac{44}{45}$

㉡ $3\frac{2}{5}-2\frac{5}{9}=3\frac{18}{45}-2\frac{25}{45}=2\frac{63}{45}-2\frac{25}{45}$

$\qquad =\frac{38}{45}$

따라서 계산 결과가 더 작은 것은 ㉡입니다.

08 답 $1\frac{13}{18}$ kg

$7\frac{2}{9}-5\frac{1}{2}=7\frac{4}{18}-5\frac{9}{18}=6\frac{22}{18}-5\frac{9}{18}=1\frac{13}{18}$

따라서 강아지는 고양이보다 $1\frac{13}{18}$ kg 더 무겁습니다.

09 답 풀이 참조

자연수에서 1을 받아내림할 때 받아내림한 수를 빼지
않고 $4\frac{21}{18}$로 계산하여 틀렸습니다. 1을 받아내림하
여 $3\frac{21}{18}$로 계산하면 바르게 계산한 답이 나옵니다.

$4\frac{1}{6}-1\frac{7}{9}=4\frac{3}{18}-1\frac{14}{18}=3\frac{21}{18}-1\frac{14}{18}=2\frac{7}{18}$

10 답 ○

㉠ $5\frac{9}{20}-3\frac{3}{4}=5\frac{9}{20}-3\frac{15}{20}$

$\qquad =4\frac{29}{20}-3\frac{15}{20}=1\frac{14}{20}=1\frac{7}{10}$

㉡ $4\frac{1}{6}-1\frac{7}{8}=4\frac{4}{24}-1\frac{21}{24}=3\frac{28}{24}-1\frac{21}{24}$

$\qquad =2\frac{7}{24}$

따라서 계산 결과가 더 큰 것은 ㉡입니다.

11 답 $2\frac{5}{6}$

$8\frac{3}{7}\blacklozenge 4\frac{2}{3}=8\frac{3}{7}-4\frac{2}{3}-\frac{13}{14}$

앞에서부터 차례로 계산합니다.

$8\frac{3}{7}-4\frac{2}{3}=8\frac{9}{21}-4\frac{14}{21}=7\frac{30}{21}-4\frac{14}{21}=3\frac{16}{21}$

$3\frac{16}{21}-\frac{13}{14}=3\frac{32}{42}-\frac{39}{42}$

$\qquad =2\frac{74}{42}-\frac{39}{42}=2\frac{35}{42}=2\frac{5}{6}$

12 답 >

$5\frac{3}{10}-2\frac{5}{6}=5\frac{9}{30}-2\frac{25}{30}$

$\qquad =4\frac{39}{30}-2\frac{25}{30}=2\frac{14}{30}=2\frac{7}{15}$

$3\frac{1}{8}-1\frac{7}{12}=3\frac{3}{24}-1\frac{14}{24}=2\frac{27}{24}-1\frac{14}{24}=1\frac{13}{24}$

따라서 ○ 안에 알맞은 것은 >입니다.

13 답 $3\frac{19}{40}$ L

$13-\left(5\frac{7}{8}+3\frac{13}{20}\right)=13-\left(5\frac{35}{40}+3\frac{26}{40}\right)$

$\qquad =13-8\frac{61}{40}=13-9\frac{21}{40}$

$\qquad =12\frac{40}{40}-9\frac{21}{40}=3\frac{19}{40}$

따라서 수조에 물이 가득차려면 $3\frac{19}{40}$ L의 물을 더 부
어야 합니다.

14 답 $2\frac{22}{35}$

$$\square = 5\frac{3}{7} - 2\frac{4}{5} = 5\frac{15}{35} - 2\frac{28}{35}$$
$$= 4\frac{50}{35} - 2\frac{28}{35} = 2\frac{22}{35}$$

15 답 $2\frac{14}{15}$

어떤 수를 $\square$라 하면 $\square + 5\frac{1}{6} = 8\frac{1}{10}$입니다.

$$\square = 8\frac{1}{10} - 5\frac{1}{6} = 8\frac{3}{30} - 5\frac{5}{30} = 7\frac{33}{30} - 5\frac{5}{30}$$
$$= 2\frac{28}{30} = 2\frac{14}{15}$$

16 답 $1\frac{23}{24}$ L

음료수: $2\frac{1}{3} + 1\frac{7}{8} = 2\frac{8}{24} + 1\frac{21}{24} = 3\frac{29}{24} = 4\frac{5}{24}$ (L)

주스: $4\frac{5}{24} - 2\frac{1}{4} = 4\frac{5}{24} - 2\frac{6}{24} = 3\frac{29}{24} - 2\frac{6}{24}$
$$= 1\frac{23}{24}\text{(L)}$$

따라서 주스는 $1\frac{23}{24}$ L 있습니다.

17 답 4

$$3\frac{1}{6} - 1\frac{3}{4} = 3\frac{2}{12} - 1\frac{9}{12} = 2\frac{14}{12} - 1\frac{9}{12}$$
$$= 1\frac{5}{12} > 1\frac{\square}{12}$$

따라서 $\square$ 안에 들어갈 수 있는 자연수 중에 가장 큰 수는 4입니다.

18 답 $\frac{19}{45}$

㉠ 1이 3개, $\frac{1}{5}$이 1개인 수 ⇨ $3\frac{1}{5}$

㉡ 1이 2개, $\frac{1}{9}$이 7개인 수 ⇨ $2\frac{7}{9}$

$$3\frac{1}{5} - 2\frac{7}{9} = 3\frac{9}{45} - 2\frac{35}{45} = 2\frac{54}{45} - 2\frac{35}{45} = \frac{19}{45}$$

따라서 ㉠과 ㉡의 차는 $\frac{19}{45}$입니다.

가장 오래된 수학책

[1] $\frac{1}{2} + \frac{1}{4}$　　　　[2] $\frac{1}{3} + \frac{1}{8}$

[3] $\frac{1}{8} + \frac{1}{16}$　　　[4] $\frac{1}{10} + \frac{1}{15}$

[5] $\frac{1}{5} + \frac{1}{9}$　　　　[6] $\frac{1}{12} + \frac{1}{14}$

6 다각형의 둘레와 넓이

16 다각형의 둘레

> 교과서 + 익힘책 유형

01 14 cm　　**02** ㉣　　　**03** 48 cm

04 (1) 22 cm (2) 28 cm

05 (1) 38 cm (2) 46 cm　　**06** 18 cm

> 교과서 + 익힘책 응용 유형

07 (1) 54 cm (2) 56 cm　　**08** 24 cm

09 (1) 8 (2) 10　　　**10** ㉤　　　**11** ㉠

12 40 cm

> 잘 틀리는 유형

13 1060 cm　　　　　　**14** 30 cm

15 14 m　　**16** 346 m　　**17** 92 cm

18 ㉠, ㉢, ㉡

01 답 14 cm

(직사각형의 둘레)＝{(가로)＋(세로)}×2이므로
(5＋2)×2＝14(cm)
따라서 직사각형의 둘레는 14 cm입니다.

02 답 ㉣

(㉠의 둘레)＝8×4＝32(cm)
(㉡의 둘레)＝(6＋9)×2＝30(cm)
(㉢의 둘레)＝9×4＝36(cm)
(㉣의 둘레)＝15×3＝45(cm)
따라서 둘레가 가장 긴 도형은 ㉣입니다.

03 답 48 cm

(정다각형의 둘레)＝(한 변의 길이)×(변의 수)이므로 8×6＝48(cm)
따라서 정육각형의 둘레는 48 cm입니다.

04 답 (1) 22 cm (2) 28 cm

(1) (평행사변형의 둘레)＝(6＋5)×2＝22(cm)
(2) (마름모의 둘레)＝7×4＝28(cm)

6. 다각형의 둘레와 넓이 **31**

05 📝 (1) 38 cm (2) 46 cm

변을 이동하여 직사각형으로 만들어 둘레를 구하고
추가된 부분의 길이를 더합니다.

(1) $(8+11)×2=38(cm)$

(2) $15+6+15+6+2+2=46(cm)$

06 📝 18 cm

$(36+\square)×2=108$이므로 $\square$는 18입니다.

07 📝 (1) 54 cm (2) 56 cm

변을 이동하여 직사각형으로 만들어 둘레를 구하고
추가된 부분의 길이를 더합니다.

(1) $14+10+14+10+3+3=54(cm)$

(2) (가로)$=8+4+2=14(cm)$

(세로)$=9+2+3=14(cm)$

(둘레)$=(14+14)×2=56(cm)$

08 📝 24 cm

큰 정삼각형의 한 변은 두 개의 작은 정삼각형으로
이루어져 있으므로 작은 정삼각형 한 변의 길이는
$16÷2=8(cm)$입니다.
따라서 작은 정삼각형의 둘레는
$8×3=24(cm)$입니다.

09 📝 (1) 8 (2) 10

(1) $(\square+12)×2=40$이므로 $\square$는 8입니다.

(2) $\square×4=40$이므로 $\square$는 10입니다.

10 📝 ⑩

(㉠의 둘레)$=(9+4)×2=26(cm)$

(㉡의 둘레)$=(3+10)×2=26(cm)$

(㉢의 둘레)$=5×5=25(cm)$

(㉣의 둘레)$=(8+5)×2=26(cm)$

(⑩의 둘레)$=7×4=28(cm)$

따라서 둘레가 가장 긴 것은 ⑩입니다.

11 📝 ㉠

단위를 cm로 바꾸어 계산합니다.

(㉠의 둘레)$=120×4=480(cm)$

(㉡의 둘레)$=(100+130)×2=460(cm)$

(㉢의 둘레)$=(150+70)×2=440(cm)$

따라서 둘레가 가장 긴 작품은 ㉠입니다.

12 📝 40 cm

변의 개수를 세어보면 완성된 모양은 총 20개의 변으
로 이루어져 있습니다.
따라서 둘레는 $2×20=40\ (cm)$입니다.

13 📝 1060 cm

단위를 cm로 바꾸어 계산합니다.
변을 이동하여 직사각형으로 만들면 침대의 가로는
$150+100+80=330(cm)$이고, 세로는 $200(cm)$
입니다.
따라서 침대의 둘레는
$330+200+330+200=1060(cm)$입니다.

14 📝 30 cm

(가로)$=16-5=11(cm)$

(세로)$=9-5=4(cm)$

따라서 새로 만든 평행사변형의 둘레는
$(11+4)×2=30(cm)$입니다.

15 📝 14 m

(주차장의 둘레)$=(2+5)×2=7×2=14(m)$

따라서 자동차 1대를 주차할 수 있는 주차장의 둘레
는 14 m입니다.

16 📝 346 m

(축구장의 둘레)$=(105+68)×2=346(m)$

따라서 축구장의 둘레는 346 m입니다.

17 📝 92 cm

(동화책의 가로)$=13+13=26(cm)$

따라서 동화책을 펼쳤을 때 둘레는
$(26+20)×2=92(cm)$입니다.

18 📝 ㉠, ㉢, ㉡

㉠ (둘레가 56 cm인 마름모의 한 변의 길이)
$=56÷4=14(cm)$

㉡ (둘레가 70 cm인 정칠각형의 한 변의 길이)
$=70÷7=10(cm)$

㉢ (둘레가 33 cm인 정삼각형의 한 변의 길이)
$=33÷3=11(cm)$

따라서 한 변의 길이가 긴 것부터 차례대로 쓰면 ㉠,
㉢, ㉡입니다.

17 넓이의 단위

p. 81~83

> 교과서 + 익힘책 유형

01 (1) 12번 (2) 24번

02 100, 100, 10000

03 (1) 24 m^2 (2) 20 m^2 **04** 8 cm^2

05 (1) 10000 (2) 5   **06** (1) 4000000 (2) 16

> 교과서 + 익힘책 응용 유형

07 (1) m^2 (2) km^2 **08** 9 cm^2

09 풀이 참조   **10** 풀이 참조

11 108 cm^2 **12** 풀이 참조

> 잘 틀리는 유형

13 ㉡, ㉣, ㉢, ㉠   **14** 60033

15 45 g   **16** 800장   **17** 630그루

18 600장

---

01 답 (1) 12번 (2) 24번
모눈종이 한 칸의 넓이는 1 cm^2입니다.
(1) 도형은 모두 12칸으로 이루어져 있으므로 1 cm^2
가 12번 들어갑니다.
(2) 도형은 모두 24칸으로 이루어져 있으므로 1 cm^2
가 24번 들어갑니다.

02 답 100, 100, 10000
$1 \text{ m} = 100 \text{ cm}$이므로 $1 \text{ m}^2 = 10000 \text{ cm}^2$입니다.

03 답 (1) 24 m^2 (2) 20 m^2
모눈종이 한 칸의 넓이는 1 m^2입니다.
(1) 1 m^2가 24번 들어가므로 주어진 도형의 넓이는
24m^2입니다.
(2) 1 m^2가 20번 들어가므로 주어진 도형의 넓이는
20m^2입니다.

04 답 8 cm^2
사각형은 삼각형 모양 2개를 합한 것과 같습니다. 삼
각형 모양을 이동하면 넓이가 1 cm^2인 사각형이 모
두 8개가 되므로, 따라서 주어진 도형의 넓이는
$1 \times 8 = 8 (\text{cm}^2)$입니다.

05 답 (1) 10000 (2) 5
(1) $1 \text{ m}^2 = 10000 \text{ cm}^2$
(2) $50000 \text{ cm}^2 = 5 \text{ m}^2$

06 답 (1) 4000000 (2) 16
(1) $4 \text{ km}^2 = 4000000 \text{ m}^2$
(2) $16000000 \text{ m}^2 = 16 \text{ km}^2$

07 답 (1) m^2 (2) km^2
넓은 장소의 경우 m^2나 km^2와 같은 단위를 사용합니
다. 교실의 넓이는 m^2를, 서울의 면적처럼 m^2로 표
시하였을 때 수가 커지는 경우에는 km^2를 사용합니다.

08 답 9 cm^2
작은 정사각형 9개로 이루어진 정사각형이 가장 큰
정사각형입니다. 삼각형 모양 2개를 합하면 작은 정
사각형의 넓이와 같으므로 작은 정사각형의 넓이는
$\frac{1}{2} + \frac{1}{2} = 1 (\text{cm}^2)$입니다.
따라서 큰 정사각형의 넓이는 $1 \times 9 = 9 (\text{cm}^2)$입니다.

09 답 풀이 참조

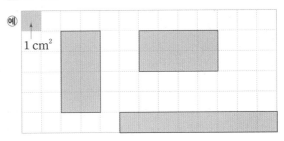

10 답 풀이 참조

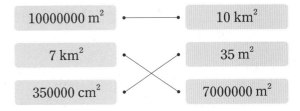

11 답 108 cm^2
보조선을 그으면 전체 도형은 삼각형 모양이 모두 18
개입니다.
따라서 도형의 전체 넓이는 $6 \times 18 = 108 (\text{cm}^2)$입니다.

12 답 풀이 참조

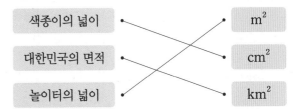

색종이의 넓이를 나타낼 때는 cm^2를 사용합니다.
대한민국의 면적을 나타낼 때는 km^2를 사용합니다.
놀이터의 넓이를 나타낼 때는 m^2를 사용합니다.

13 답 ㉡, ㉣, ㉢, ㉠

$1 \, m^2 = 10000 \, cm^2$이므로

㉠ $54000 \, cm^2$

㉡ $54 \, m^2 = 540000 \, cm^2$

㉢ $6 \, m^2 = 60000 \, cm^2$

㉣ $500000 \, cm^2$

따라서 큰 것부터 차례대로 나열하면 ㉡, ㉣, ㉢, ㉠입니다.

14 답 60033

$24000000 \, m^2 = 24 \, km^2$이므로 ㉠=24

$90000 \, cm^2 = 9 \, m^2$이므로 ㉡=9

$6 \, m^2 = 60000 \, cm^2$이므로 ㉢=60000

따라서 ㉠+㉡+㉢=24+9+60000=60033입니다.

15 답 45 g

조각 9개로 이루어져 있으므로 전체를 염색하는데 필요한 염료는 $9 \times 5 = 45$(g)입니다.

16 답 800장

액자의 가로는 $4 \, m = 400 \, cm$이므로 액자의 가로에 사진을 모두 붙이려면 $400 \div 10 = 40$(장)의 사진이 필요합니다.

액자의 세로는 $2 \, m = 200 \, cm$이므로 액자의 세로에 사진을 모두 붙이려면 $200 \div 10 = 20$(장)의 사진이 필요합니다.

따라서 액자에 사진을 빈틈없이 붙이기 위해서는 $40 \times 20 = 800$(장)의 사진이 필요합니다.

17 답 630그루

가로가 세로의 7배이므로 세로의 길이는 $3 \times 7 = 21$(km)입니다.

그러므로 이 과수원에는 한 변의 길이가 1 km인 정사각형이 가로에 21번, 세로에 3번 들어갑니다.

따라서 $1 \, km^2$가 $21 \times 3 = 63$번 들어가므로 과수원에는 $63 \times 10 = 630$(그루)의 사과나무를 심을 수 있습니다.

18 답 600장

벽의 가로는 $6 \, m = 600 \, cm$이므로 벽의 가로에 포스터를 모두 붙이려면 $600 \div 20 = 30$(장)의 포스터가 필요합니다.

벽의 세로는 $5 \, m = 500 \, cm$이므로 벽의 세로에 포스터를 모두 붙이려면 $500 \div 25 = 20$(장)의 포스터가 필요합니다.

따라서 벽에 포스터를 빈틈없이 붙이기 위해서는 $30 \times 20 = 600$(장)의 포스터가 필요합니다.

18 직사각형의 넓이

> 교과서 + 익힘책 유형

01 (1) $40 \, cm^2$ (2) $21 \, cm^2$ **02** $550 \, cm^2$

03 $16 \, cm^2$ **04** 9 cm **05** $196 \, cm^2$

06 24 cm

> 교과서 + 익힘책 응용 유형

07 (1) $70 \, cm^2$ (2) $86 \, cm^2$ (3) $60 \, cm^2$

08 (1) $184 \, cm^2$ (2) $330 \, cm^2$

09 (1) $76 \, cm^2$ (2) $70 \, cm^2$ (3) $137 \, cm^2$

10 60 cm

> 잘 틀리는 유형

11 $595 \, m^2$ **12** $2450 \, m^2$ **13** $243 \, cm^2$

14 $321 \, m^2$ **15** $127 \, cm^2$ **16** 8 cm

01 답 (1) $40 \, cm^2$ (2) $21 \, cm^2$

(1) (직사각형의 넓이)=$8 \times 5 = 40$(cm^2)

(2) (직사각형의 넓이)=$3 \times 7 = 21$(cm^2)

02 답 $550 \, cm^2$

(스케치북의 넓이)=$25 \times 22 = 550$(cm^2)

03 답 $16 \, cm^2$

(직사각형 둘레)=$(2+6) \times 2 = 16$(cm)이고 직사각형과 정사각형의 둘레는 같으므로

(정사각형의 둘레)=□$\times 4 = 16$(cm)입니다.

따라서 정사각형의 한 변의 길이는 4 cm이고 정사각형의 넓이는 $4 \times 4 = 16$(cm^2)입니다.

04 답 9 cm

$72 =$□$\times 8$이므로 □는 9입니다.

05 답 $196 \, cm^2$

(정사각형의 둘레)=(한 변의 길이)$\times 4$이므로 둘레가 56 cm인 정사각형의 한 변의 길이는 $56 \div 4 = 14$(cm)입니다. 따라서 이 정사각형의 넓이는 $14 \times 14 = 196$(cm^2)입니다.

06 답 24 cm

$384 = 16 \times$□이므로 □는 24입니다.

07 답 (1) 70 cm² (2) 86 cm² (3) 60 cm²

(1)

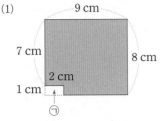

(주어진 도형의 넓이)=(전체 넓이)−(㉠의 넓이)

(전체 넓이)=9×8=72(cm²)

(㉠의 넓이)=2×1=2(cm²)

따라서 주어진 도형의 넓이는 72−2=70(cm²)입니다.

(2)

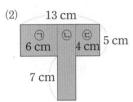

(주어진 도형의 넓이)

=(㉠의 넓이)+(㉡의 넓이)+(㉢의 넓이)

(㉠의 넓이)=6×5=30(cm²)

(㉡의 넓이)=3×(5+7)=3×12=36(cm²)

(㉢의 넓이)=4×5=20(cm²)

따라서 주어진 도형의 넓이는

30+36+20=86(cm²)입니다.

(3)

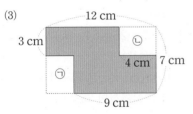

(주어진 도형의 넓이)

=(전체 넓이)−(㉠의 넓이)−(㉡의 넓이)

(전체 넓이)=12×7=84(cm²)

(㉠의 넓이)=(12−9)×(7−3)=3×4=12(cm²)

(㉡의 넓이)=4×3=12(cm²)

따라서 주어진 도형의 넓이는

84−12−12=60(cm²)입니다.

08 답 (1) 184 cm² (2) 330 cm²

(1) (색칠한 부분의 넓이)

=(전체 넓이)−(작은 직사각형의 넓이)

(전체 넓이)=16×14=224(cm²)

(작은 직사각형의 넓이)=5×8=40(cm²)

따라서 색칠한 부분의 넓이는

224−40=184(cm²)입니다.

(2)

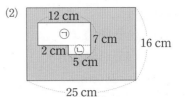

(색칠한 부분의 넓이)

=(전체 넓이)−(㉠의 넓이)−(㉡의 넓이)

(전체 넓이)=25×16=400(cm²)

(㉠의 넓이)=12×(7−2)=12×5=60(cm²)

(㉡의 넓이)=5×2=10(cm²)

따라서 색칠한 부분의 넓이는

400−60−10=330(cm²)입니다.

09 답 (1) 76 cm² (2) 70 cm² (3) 137 cm²

(1)

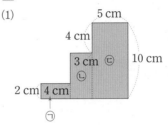

(주어진 도형의 넓이)

=(㉠의 넓이)+(㉡의 넓이)+(㉢의 넓이)

(㉠의 넓이)=4×2=8(cm²)

(㉡의 넓이)=3×(10−4)=3×6=18(cm²)

(㉢의 넓이)=5×10=50(cm²)

따라서 주어진 도형의 넓이는

8+18+50=76(cm²)입니다.

(2)

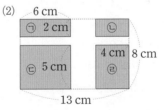

(주어진 도형의 넓이)

=(㉠의 넓이)+(㉡의 넓이)+(㉢의 넓이)

  +(㉣의 넓이)

(㉠의 넓이)=6×2=12(cm²)

(㉡의 넓이)=4×2=8(cm²)

(㉢의 넓이)=6×5=30(cm²)

(㉣의 넓이)=4×5=20(cm²)

따라서 주어진 도형의 넓이는

12+8+30+20=70(cm²)입니다.

(3)

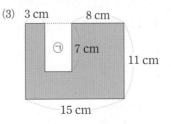

(주어진 도형의 넓이)
=(전체 넓이)−(㉠의 넓이)
(전체 넓이)=$15 \times 11 = 165 (cm^2)$
(㉠의 넓이)=$4 \times 7 = 28 (cm^2)$
따라서 주어진 도형의 넓이는
$165 - 28 = 137 (cm^2)$입니다.

10 답 60 cm
직사각형의 세로를 □라고 하면 $224 = 16 \times$□이므로
□는 14 cm입니다. 따라서 둘레는
$(16+14) \times 2 = 30 \times 2 = 60 (cm)$입니다.

11 답 595 m^2

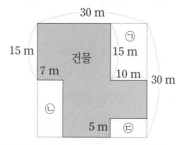

(건물을 세운 땅의 넓이)
=(전체 넓이)−(㉠의 넓이)−(㉡의 넓이)
  −(㉢의 넓이)
(전체 넓이)=$30 \times 30 = 900 (m^2)$
(㉠의 넓이)=$15 \times 10 = 150 (m^2)$
(㉡의 넓이)=$7 \times (30-15) = 105 (m^2)$
(㉢의 넓이)=$10 \times 5 = 50 (m^2)$
따라서 건물을 세운 땅의 넓이는
$900 - 150 - 105 - 50 = 595 (m^2)$입니다.

12 답 2450 m^2
도형을 모으면 직사각형이 됩니다.
(공원의 가로)=$80 - 10 = 70 (m)$
(공원의 세로)=$50 - 15 = 35 (m)$
따라서 공원의 넓이는 $70 \times 35 = 2450 (m^2)$입니다.

13 답 243 cm^2
(정사각형의 둘레)=(한 변의 길이)$\times 4$이므로 둘레
가 36 cm인 정사각형 액자의 한 변의 길이는 9 cm
입니다.
따라서 액자 3개를 나란히 붙이면 가로는
$9 \times 3 = 27 (cm)$가 되므로 넓이는
$27 \times 9 = 243 (cm^2)$입니다.

14 답 321 m^2

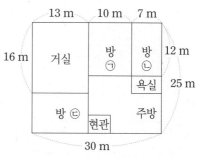

(방 넓이의 총합)
=(㉠의 넓이)+(㉡의 넓이)+(㉢의 넓이)
(㉠의 넓이)=$10 \times 12 = 120 (m^2)$
(㉡의 넓이)=$7 \times 12 = 84 (m^2)$
(㉢의 넓이)=$13 \times (25-16) = 13 \times 9 = 117 (m^2)$
따라서 방 넓이의 총합은
$120 + 84 + 117 = 321 (m^2)$입니다.

15 답 127 cm^2

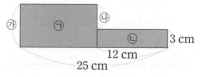

(도형의 넓이)=(㉠의 넓이)+(㉡의 넓이)
(㉠의 가로)=$25 - 12 = 13 (cm)$
따라서 도형의 둘레는
㉮$+13+$㉯$+12+3+25 = 64 (cm)$가 되므로
㉮$+$㉯$=11 (cm)$입니다.
이때 ㉮$+$㉯$+3 = 14 (cm)$는 큰 직사각형의 세로의 2
배와 같으므로 큰 직사각형의 세로, 즉 ㉮는 7 cm가
됩니다.
이를 이용해 ㉠과 ㉡의 넓이를 구하면
(㉠의 넓이)=$13 \times 7 = 91 (cm^2)$
(㉡의 넓이)=$12 \times 3 = 36 (cm^2)$
따라서 도형의 넓이는 $91 + 36 = 127 (cm^2)$입니다.

16 답 8 cm
(직사각형의 둘레)={(가로)+(세로)}$\times 2$이므로 둘
레가 26 cm인 직사각형의 (가로)+(세로)=$13 (cm)$
입니다. (직사각형의 넓이)=(가로)$\times$(세로)이므로
(가로)$\times$(세로)=$40 (cm^2)$입니다.
세로가 8 cm, 가로가 5 cm일 때 $5+8=13$이고
$5 \times 8 = 40$입니다.
따라서 (가로)+(세로)=$13 (cm)$,
(가로)$\times$(세로)=$40 (cm^2)$이고 가로가 세로보다
짧으므로 조건을 만족하는 세로는 8 cm입니다.

19 평행사변형과 삼각형의 넓이

p. 89~91

01 답 35 cm²

(평행사변형의 넓이)=(가로)×(세로)이므로 평행사변형의 넓이는 $7 \times 5 = 35(\text{cm}^2)$입니다.

02 답 8 cm

(삼각형의 넓이)=(밑변의 길이)×(높이)÷2이므로
$24 \times 10 \div 2 = 120(\text{cm}^2)$
평행사변형과 삼각형의 넓이가 같으므로
$120 = 15 \times \square$이고 따라서 $\square$는 8입니다.

03 답 6

12 cm를 밑변으로 보고 구한 삼각형의 넓이와 18 cm를 밑변으로 보고 구한 삼각형의 넓이가 같습니다.
12 cm를 밑변으로 한 삼각형의 넓이는
$12 \times 9 \div 2 = 54(\text{cm}^2)$이므로 18 cm를 밑변으로 한 삼각형의 넓이는 $18 \times \square \div 2 = 54(\text{cm}^2)$입니다.
따라서 $\square$는 6입니다.

04 답 12 cm

$24 \times \square \div 2 = 144$이므로 $\square$는 12입니다.

05 답 56 cm²

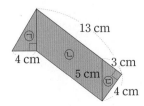

(도형의 넓이)
=(㉠의 넓이)+(㉡의 넓이)+(㉢의 넓이)
(㉠의 넓이)=$4 \times 5 \div 2 = 10(\text{cm}^2)$
(㉡의 넓이)=$10 \times 4 = 40(\text{cm}^2)$
(㉢의 넓이)=$3 \times 4 \div 2 = 6(\text{cm}^2)$
따라서 도형의 넓이는 $10+40+6=56(\text{cm}^2)$입니다.

06 답 풀이 참조

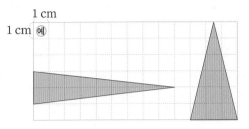

07 답 ㉢

㉠, ㉡, ㉢, ㉣의 높이는 모두 같으므로 밑변의 길이가 다르면 삼각형의 넓이가 달라집니다. 따라서 밑변의 길이가 다른 ㉢의 넓이가 평행한 두 직선 사이에 있는 삼각형들과 넓이가 다릅니다.

08 답 40 cm²

(색칠한 부분의 넓이)
=(큰 삼각형의 넓이)−(작은 삼각형의 넓이)
(큰 삼각형의 넓이)=$10 \times (8+3) \div 2 = 55(\text{cm}^2)$
(작은 삼각형의 넓이)=$10 \times 3 \div 2 = 15(\text{cm}^2)$
따라서 색칠한 부분의 넓이는 $55-15=40(\text{cm}^2)$입니다.

09 답 132 cm²

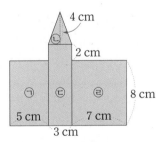

(도형의 넓이)
=(㉠의 넓이)+(㉡의 넓이)+(㉢의 넓이)
　+(㉣의 넓이)
(㉠의 넓이)=$5 \times 8 = 40(\text{cm}^2)$
(㉡의 넓이)=$3 \times 4 \div 2 = 6(\text{cm}^2)$
(㉢의 넓이)=$3 \times (8+2) = 30(\text{cm}^2)$
(㉣의 넓이)=$7 \times 8 = 56(\text{cm}^2)$
따라서 도형의 넓이는 $40+6+30+56=132(\text{cm}^2)$입니다.

10 답 16

8 cm를 밑변으로 보고 구한 평행사변형의 넓이와
□ cm를 밑변으로 보고 구한 평행사변형의 넓이가
같습니다.

8 cm를 밑변으로 한 평행사변형의 넓이는
$8 \times 12 = 96 (cm^2)$이므로 □ cm를 밑변으로 한 평행
사변형의 넓이는 $□ \times 6 = 96 (cm^2)$입니다.

따라서 □는 16입니다.

11 답 148 m²

(㉠의 넓이)$= 12 \times 7 = 84 (m^2)$
(㉡의 넓이)$= 16 \times 6 \div 2 = 48 (m^2)$
(㉢의 넓이)$= 4 \times 4 = 16 (m^2)$

따라서 ㉠, ㉡, ㉢의 넓이의 합은
$84 + 48 + 16 = 148 (m^2)$입니다.

12 답 196 cm²

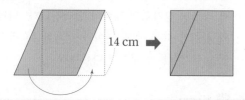

자른 부분을 옮기면 한 변의 길이가 14 cm인 정사각
형이 됩니다. 따라서 평행사변형의 넓이는 정사각형
의 넓이와 같고 $14 \times 14 = 196 (cm^2)$가 됩니다.

13 답 12

18 cm를 밑변으로 보고 구한 평행사변형의 넓이와
9 cm를 밑변으로 보고 구한 평행사변형의 넓이가 같
습니다.

18 cm를 밑변으로 한 평행사변형의 넓이는
$18 \times 6 = 108 (cm^2)$이므로 9 cm를 밑변으로 한 평
행사변형의 넓이는 $9 \times □ = 108 (cm^2)$입니다.

따라서 □는 12입니다.

14 답 64 cm²

$12 + 12 + □ = 40 (cm)$이므로 밑변의 길이는
$□ = 16 (cm)$입니다.

따라서 삼각형의 넓이는 $16 \times 8 \div 2 = 64 (cm^2)$입니다.

15 답 40 cm²

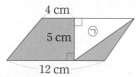

(색칠한 부분의 넓이)
= (평행사변형의 넓이) − (㉠의 넓이)

(평행사변형의 넓이)$= 12 \times 5 = 60 (cm^2)$
(㉠의 넓이)$= (12 - 4) \times 5 \div 2 = 20 (cm^2)$

따라서 색칠한 부분의 넓이는 $60 - 20 = 40 (cm^2)$입
니다.

16 답 270 cm²

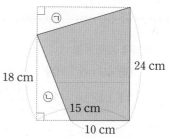

(색칠한 부분의 넓이)
= (직사각형의 넓이) − (㉠의 넓이) − (㉡의 넓이)

(직사각형의 넓이)$= 15 \times 24 = 360 (cm^2)$
(㉠의 넓이)$= (24 - 18) \times 15 \div 2 = 45 (cm^2)$
(㉡의 넓이)$= 18 \times (15 - 10) \div 2 = 45 (cm^2)$

따라서 색칠한 부분의 넓이는
$360 - 45 - 45 = 270 (cm^2)$입니다.

17 답 294 cm²

도형을 모으면 평행사변형이 됩니다.
평행사변형의 밑변의 길이는 $25 - 4 = 21 (cm)$이므로
평행사변형의 넓이는 $21 \times 14 = 294 (cm^2)$입니다.

18 답 56 cm²

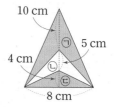

(색칠한 부분의 넓이)
= (㉠의 넓이) − (㉡의 넓이) + (㉢의 넓이)

(㉠의 넓이)$= 8 \times (10 + 5 + 4) \div 2 = 76 (cm^2)$
(㉡의 넓이)$= 8 \times (5 + 4) \div 2 = 36 (cm^2)$
(㉢의 넓이)$= 8 \times 4 \div 2 = 16 (cm^2)$

따라서 색칠한 부분의 넓이는
$76 - 36 + 16 = 56 (cm^2)$입니다.

19 답 64 m²

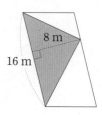

(페인트를 칠하지 않은 부분의 넓이)
= (평행사변형의 넓이)−(삼각형의 넓이)
(평행사변형의 넓이) = $16 \times 8 = 128(m^2)$
(삼각형의 넓이) = $16 \times 8 \div 2 = 64(m^2)$
따라서 페인트를 칠하지 않은 부분의 넓이는
$128 - 64 = 64(m^2)$입니다.

20 답 12 cm

(평행사변형의 넓이) = (가로)×(세로) = $6 \times$(높이)
(삼각형의 넓이) = (밑변의 길이)×(높이)$\div 2$
높이는 공통이고 평행사변형과 삼각형의 넓이가 같으
므로 삼각형의 밑변의 길이는 평행사변형의 밑변의
길이의 2배인 12 cm가 됩니다.

21 답 45 cm

가로가 10 cm, 세로가 12 cm인 직사각형의 넓이는
$120\ cm^2$입니다.
밑변의 길이가 8 cm인 평행사변형과 삼각형의 넓이
가 $120\ cm^2$이므로 $\square \times 8 = 120(cm^2)$이고 $\square$는 15
입니다.
또한 $\triangle \times 8 \div 2 = 120(cm^2)$이므로 $\triangle$는 30입니다.
따라서 평행사변형의 높이는 15 cm이고 삼각형의
높이는 30 cm이므로 구하려는 높이의 합은
$15 + 30 = 45(cm)$입니다.

20 마름모와 사다리꼴의 넓이

p. 93~95

> 교과서 + 익힘책 유형
01 4, 4, 28 **02** 25 cm² **03** 315 cm²
04 120 cm² **05** (1) 20 cm² (2) 90 cm²
(3) 50 cm² **06** ㉠ **07** 풀이 참조

> 교과서 + 익힘책 응용 유형
08 5550 m² **09** 14 **10** 75 cm²
11 36 **12** 21 **13** 84 cm²

> 잘 틀리는 유형
14 100 cm² **15** 33 m² **16** 204 cm²
17 77 cm² **18** 보상받을 수 없다. **19** 10

01 답 4, 4, 28

(사다리꼴의 넓이) = (㉠의 넓이)+(㉡의 넓이)
(㉠의 넓이) = $5 \times 4 = 20(cm^2)$
(㉡의 넓이) = $(9-5) \times 4 \div 2 = 4 \times 4 \div 2 = 8(cm^2)$
따라서 사다리꼴의 넓이는 $20 + 8 = 28(cm^2)$입니다.

02 답 25 cm²

(사다리꼴의 넓이)
= {(윗변의 길이)+(아랫변의 길이)}×(높이)$\div 2$
이므로
$(3+7) \times 5 \div 2 = 10 \times 5 \div 2 = 25(cm^2)$
따라서 사다리꼴의 넓이는 $25\ cm^2$입니다.

03 답 315 cm²

$(30+12) \times 15 \div 2 = 42 \times 15 \div 2 = 315(cm^2)$
따라서 사다리꼴의 넓이는 $315\ cm^2$입니다.

04 답 120 cm²

$(8+16) \times 10 \div 2 = 24 \times 10 \div 2 = 120(cm^2)$
따라서 사다리꼴의 넓이는 $120\ cm^2$입니다.

05 답 (1) 20 cm² (2) 90 cm² (3) 50 cm²

(마름모의 넓이)
= (한 대각선의 길이)×(다른 대각선의 길이)$\div 2$
(1) $5 \times 8 \div 2 = 20(cm^2)$
(2) $18 \times 10 \div 2 = 90(cm^2)$
(3) $10 \times 10 \div 2 = 50(cm^2)$

06 답 ㉠

(㉠의 넓이) = $7 \times 14 \div 2 = 49(cm^2)$
(㉡의 넓이) = $8 \times 8 \div 2 = 32(cm^2)$
(㉢의 넓이) = $6 \times 12 \div 2 = 36(cm^2)$
넓이가 가장 큰 마름모는 ㉠입니다.

07 답 풀이 참조

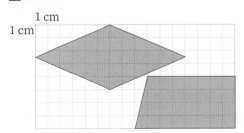

08 답 5550 m²

(운동장의 아랫변의 길이)=100−15=85(m)

(운동장의 넓이)=(100+85)×60÷2

=185×60÷2=5550(m²)

따라서 꽃밭을 제외한 운동장의 넓이는 5550 m²입니다.

09 답 14

(6+□)×5÷2=50이므로 □는 14입니다.

10 답 75 cm²

사다리꼴의 넓이에서 삼각형의 넓이를 빼서 구합니다.

(사다리꼴의 넓이)=(8+15)×10÷2

=23×10÷2=115(cm²)

(삼각형의 넓이)=16×5÷2=40(cm²)

따라서 색칠한 부분의 넓이는

115−40=75(cm²)입니다.

11 답 36

(ⓛ의 넓이)=(8+10)×9÷2

=18×9÷2=81(cm²)

(ㄱ의 넓이)=9×□÷2=(ⓛ의 넓이)×2

=81×2=162(cm²)

즉, 9×□÷2=162이므로 □는 36입니다.

12 답 21

16×□÷2=168(m²)이므로 □는 21입니다.

13 답 84 cm²

(색칠한 부분의 넓이)

=(큰 마름모의 넓이)−(작은 마름모의 넓이)

(큰 마름모의 넓이)=12×24÷2=144(cm²)

(작은 마름모의 넓이)=12×10÷2=60(cm²)

따라서 색칠한 부분의 넓이는 144−60=84(cm²)입니다.

14 답 100 cm²

(색칠한 마름모의 넓이)=(큰 정사각형의 넓이)÷2

그림에서 주어진 정사각형의 넓이는 대각선의 길이가 20 cm인 마름모의 넓이와 같습니다.

(큰 정사각형의 넓이)=20×20÷2=200(cm²)

따라서 색칠한 마름모의 넓이는

200÷2=100 (cm²)입니다.

15 답 33 m²

(색칠한 마름모의 넓이)=(큰 마름모의 넓이)÷4

(큰 마름모의 넓이)=22×12÷2=132(m²)

따라서 색칠한 마름모의 넓이는 132÷4=33(m²)입니다.

16 답 204 cm²

윗변이 아랫변보다 4 cm 짧고 윗변이 15 cm이므로 사다리꼴의 아랫변은 15+4=19(cm)입니다.

또한 높이는 12 cm이므로 이 사다리꼴의 넓이를 구하면 (15+19)×12÷2=204(cm²)입니다.

따라서 사다리꼴 모양의 포장지의 넓이는 204 cm²입니다.

17 답 77 cm²

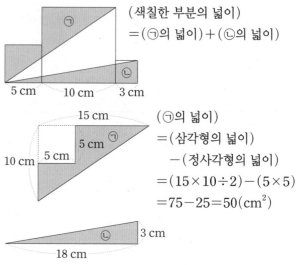

(색칠한 부분의 넓이)
=(ㄱ의 넓이)+(ⓛ의 넓이)

(ㄱ의 넓이)
=(삼각형의 넓이)
 −(정사각형의 넓이)
=(15×10÷2)−(5×5)
=75−25=50(cm²)

(ⓛ의 넓이)=18×3÷2=27(cm²)

따라서 색칠한 부분의 넓이는 50+27=77(cm²)입니다.

18 답 보상받을 수 없다.

(화면 전체 넓이)=(14+8)×7=154(cm²)

(파손된 부분의 넓이)
=(4+8)×7÷2=12×7÷2=42(cm²)

파손된 부분이 전체의 절반인 154÷2=77(cm²)보다 작으므로 보상받을 수 없습니다.

19 답 10

(ㄱ의 넓이)=(5+9)×5÷2=35(cm²)

(ⓛ의 넓이)=7×□÷2

ㄱ과 ⓛ의 넓이가 같으므로 7×□÷2=35이고 따라서 □는 10입니다.

풍산자

개념 ✕ 유형

초등 수학 5-1